내 아이의 삶과 미래를 좌우하는 공부의 본질

학년이 오를수록 성적도 오르는 초등 공부의 정석

내 아이의 삶과 미래를 좌우하는 공부의 본질

학년이 오를수록 성적도 오르는 초등 공부의 정석

1판 2쇄 인쇄 2023년 12월 22일
1판 2쇄 발행 2024년 1월 2일

지은이 박은선
발행인 김형준

편집 최문주
디자인 책은우주다
마케팅 김재은

발행처 체인지업북스
출판등록 2021년 1월 5일 제2021-000003호
주소 경기도 고양시 덕양구 삼송로 12, 805호
전화 02-6956-8977
팩스 02-6499-8977
이메일 change-up20@naver.com
홈페이지 www.changeuplibro.com

ISBN 979-11-91378-39-9 (13590)

체인지업북스는 내 삶을 변화시키는 책을 펴냅니다.

박은선 지음

학년이 오를수록 성적도 오르는
초등 공부의 정석

체인지업
CHANGEUP

내 아이가 후회 없이 공부할 수 있도록

대한민국에서 학부모가 된 이상 아이의 공부는 부모의 최대 과제 중 하나입니다. 입시라는 문턱을 넘기 위해 모두가 달리고 있는 교육 현실을 무시할 수 없지요. 그런데 부모만이 아닙니다. 아이도 공부를 잘하고 싶어합니다. 누구보다 좋은 성적을 받고 싶지요. 이왕이면 좋은 대학에 진학하고, 부모님께 자랑스러운 아들, 딸이 되고 싶어 해요. 안타까운 것은 학년이 오를수록 공부 자신감을 잃거나, 공부 방법을 몰라 헤매고 있는 아이들이 많다는 사실입니다.

물론 공부는 아이가 하는 것입니다. 하지만 아이들도 공부가 처음이라 잘 모릅니다. 공부하고 싶게 만드는 힘, 공부의 올바른 기준과 방향, 진정한 공부의 본질에 대해 조언할 수 있는 사람이 필요하지요. 바로 부모님입니다.

공부하라고 등 떠미는 역할을 말하는 것이 아닙니다. 아이에게 마음에서 우러나오는 공부 동기를 심어주는 역할을 말하는 겁니다. 대학에 들어가는 공부만이 아니라 삶에 대한 태도와 평생 공부의 자력을 심어 줄 인생의 스승이 바로 부모님입니다.

아이들은 순수한 백지 같습니다. 부모님의 생각을 닮고 말과 행동을 따라 하며 자라지요. 공부에 대해서도 마찬가지입니다. 학교에서 어떤 태도로 생활하고 배운 지식을 어떻게 자기 것으로 만들지는 부모님의 교육 방향에 따라 달라집니다. 그래서 공부를 처음 시작하는 초등 시기가 어느 때보다 중요합니다. 기본 생활 습관과 기초 학습 능력을 기르는 중요한 이 시기에 아이들에게 배움의 중요성과 올바른 공부의 기준, 방향을 잘 전해 주어야 합니다.

그런 면에서 조언을 드리고 싶었습니다. 성적을 올리고 싶어도 이미 지나온 초등·중학교 시기에 놓쳐 버린 공부 때문에 만회할 용기를 내지 못하는 아이들이 안타까웠어요. '좀 더 일찍 공부 의욕이 생겼더라면', '어릴 때 독서를 해두었더라면', '주도적인 공부 습관을 들였더라면.' 후회 섞인 학생들의 푸념을 그냥 넘길 수 없었습니다. 초등 자녀를 둔 부모님들의 시행착오를 줄여드리고 싶었어요. 초등 시기부터 자연스럽게 공부 습관을 들이고 공부 동기를 키우기를 바랐습니다.

그 해답을 학년이 오를수록 공부 잘하는 아이들에게서 찾았습니다. 똘똘 뭉친 자존감으로 힘든 공부도 이겨내는 우등생들에게서 힌트를 얻었습니다. 최상위권 학생들의 마음가짐, 공부 습관과 방법을 최근 입시 방향과 함께 고민하며 초등 시기부터 무엇에 집중해야 할지 진심을 담아 전해 드리고 싶었습니다.

이 책의 1장에서는 초등 공부의 장기적 목표와 기준, 공부 방향을 고등학교 교사 입장으로 알려드립니다. 공부 방향이 흐트러지면 배를 타고 산으로 갈 수 있지요. 초등 시절에 분명한 공부 방향을 잡을 수 있도록 도와드립니다.

2장에서는 1등급 학생들이 실천하고 있는 공부 전략인 '읽기', '어휘', '생각하기', '쓰기'의 중요성과 공부법을 상세히 전해드립니다. 이어 3장에서는 이러한 공부 전략을 주요 과목인 국어, 수학, 영어, 사회, 과학에 어떻게 적용하여 공부해야 하는지에 대해 자세히 실었습니다. 과목별로 초중고 공부 로드맵을 안내하며 초 1부터 고 3까지 공부의 청사진을 들여다볼 수 있게 했습니다.

마지막 4장에는 평생 학습자로 살아갈 아이들이 갖추어야 할 역량을 이야기했습니다. 학교 공부 이상으로 인생 공부법을 배우며 아이들이 사회에서도 최고의 삶을 살길 바라는 마음을 담았습니다.

최상위권 아이들은 아는 것을 '행동'으로 옮기는 아이들이지요. 여러분도 아이와 함께 하나씩 실천해 보시길 바랍니다. 읽고 생각하고 쓰다 보면 '생각을 품고 공부하는 아이', '배움의 가치를 알고 공부하는 아이', '자기 지식을 객관화하며 공부하는 아이'로 성장해 있을 겁니다. 늘 여러분을 응원하겠습니다.

2023년 8월

박은선

차례

4장 초등 공부를 넘어 평생 공부의 목표를 정하라

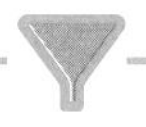

| 1장 |

초등 공부의 목표는 더 높이 멀리 잡아야 한다

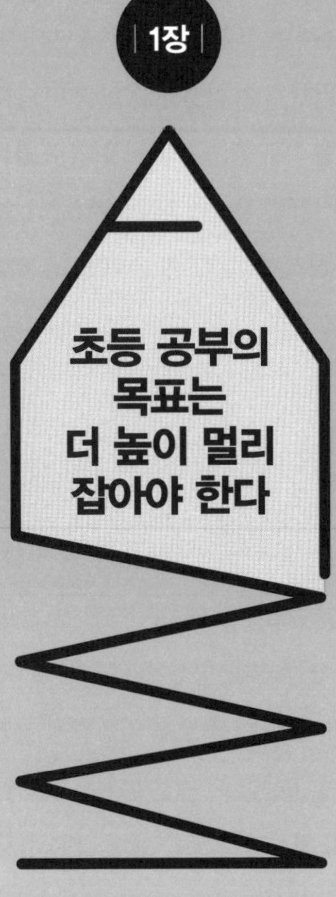

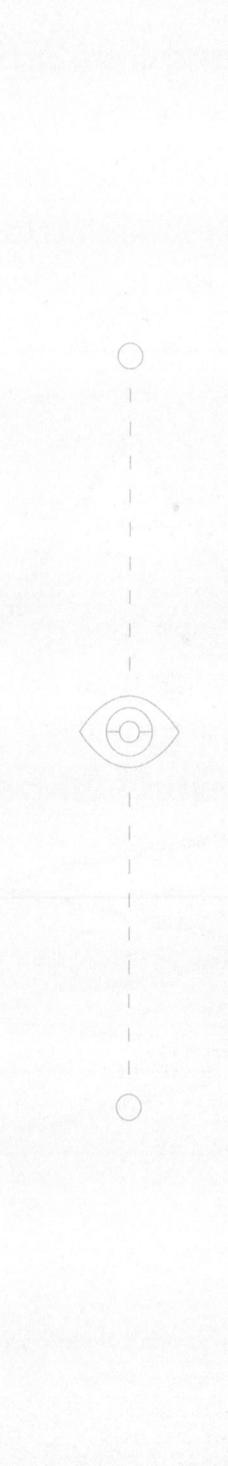

학년이 오를수록 성적이 오르는 아이

이제 막 초등학교에 입학한 1학년 아이들은 긴 레이스의 출발선에 섰습니다. 대학 입시라는 결승점을 향한 12년의 마라톤 경주에 돌입했습니다. 잔인하게 들리겠지만, 대한민국에서 학생으로 살며 대학 입시를 무시할 수는 없습니다. 아이들이 살아갈 미래에는 대학 간판이 필요 없다는 말도 와닿지 않아요. 당장 내신 등급으로 경쟁이 치열한 고등학교 현장에서 보면 다른 나라 이야기처럼 들립니다. 그렇다고 초등학교 시기부터 무조건 앞만 보고 달리자는 이야기는 아니에요. 피할 수 없는 현실이라면 지금부터 천천히 아이의 공부를 전략적으로 준비해 나가는 것이 현명합니다. 장기적인 안목으로 공부의 정석을 밟아 나아가며 하나둘 준비해 보자는 이야기입니다.

공부를 잘하고 싶은 아이들

부모가 학교 다니던 때와 크게 다르지 않습니다. 지금 고등학교 현장에서도 입시 고민은 여전합니다. 특목고, 자사고도 아닌 일반고에서도 공부는 아이들 삶의 중심에 있어요. 수행 평가, 지필 평가에 민감합니다. 대학 입학 전형을 꼼꼼히 살펴봅니다. 선생님과 공부 상담도 수시로 합니다. 상위권 아이들만 그런 게 아니에요. 우리나라 보통의 고등학생들이 그렇습니다.

고등학교는 중학교와 완전히 다른 세상입니다. 당장 고 1이 되어 치르는 첫 시험 결과부터 내신 성적에 반영되니 아이들은 바짝 긴장합니다. 그런데 중학교 때 공부하던 방식이 통하지 않아 난처해요. 친구들 모두 열심히 공부하거든요. 마음대로 되지 않아요. 공부량은 많고 공부 난도는 높아 힘이 듭니다. 잘하고 싶지만, 방법을 잘 몰라 답답합니다.

교실에서 한두 명을 제외하고 아이들 대부분이 공부를 잘하고 싶어 해요. "우리 아이는 도통 공부를 하지 않아요." 부모님들은 이렇게 말씀하지만, 성적이 하위권인 학생들도 공부를 잘하고 싶은 욕구가 있습니다. 부모님들 생각보다 더 간절합니다. 공부를 잘하는 옆 친구가 부럽습니다. 따라가고 싶습니다.

안타깝게도 이 아이들은 공부에 용기를 내지 못합니다. 초등학교, 중학교를 지나오며 놓쳐 버린 공부 공백을 다시 메우기가 두렵습니다. 수업 시간에 선생님의 설명이 잘 이해되지 않아요. 어디서부터 다시 시작해야 할지 엄두가 나지 않습니다. 학원에서도 해결해 주지 못해요. 평균 수준인 다수를 상대로 하는 수업이기에 수업 내용은 머릿속을 스쳐 지나갑니다. 공부를 잘하고 싶은 처음의 마음은 어떻게 공부해야 할지 모르겠는 막막함에 주저앉고 말아요.

가장 안쓰러운 아이는 공부를 열심히 하는데 성적이 나오지 않는 아이입니다. 중학교 때는 줄곧 상위권 성적을 유지했습니다. 전 과목에서 A를 성취했습니다. 고등학교와 달리 중학교 성적은 절대 평가로 산출하는 방식입니다. 90점 이상 100점 미만이 똑같이 A 평가를 받습니다. 고등학교에 오면 상황이 달라집니다. 고등학교 내신은 말 그대로 줄 세우기입니다. 1등급부터 9등급이 존재합니다. 문제 하나에 등급이 달라집니다. 0.1점 차이로 2등급과 3등급이 갈립니다.

중학교에서 90점 초반대 점수를 받던 아이들이 고등학교에 와서 5등급으로 밀려납니다. 부정할 수 없는 현실입니다. 고등학교에서는 등급을 나누기 위해 시험에 난도 높은 문제를 꼭 포함합니다. 이 아이들은 안타깝게도 난도 높은 문제를 풀지 못해요. 문제를 조금만 변형해도 갈피를 잡지 못합니다.

"공부를 열심히 안 하니 그렇지."라고 섣불리 평가할 수 없어요. 누구보다 많은 시간을 공부에 투자했습니다. 수업 시간에도 선생님 말씀을 열심히 들었어요. 수행 평가도 완벽했습니다. 가장 속상한 건 아이입니다. 무엇이 잘못되었을까 고민합니다. 같은 방법으로 같은 시간을 투자하며 다음 시험을 준비하나 성적은 그대로입니다.

담임 교사도 마음이 쓰립니다. 이 아이들은 효과적인 공부 방법을 찾지 못했습니다. 자신은 안다고 생각하지만, 시험 문제를 보면 풀지 못합니다. 수업 시간에 다 이해했다고 하지만, 설명할 수 없습니다. 암기했다고 하지만, 응용력이 부족합니다. 제대로 된 공부 방법을 터득하지 못했습니다. 초등학교, 중학교를 지나오며 한번 고착된 공부 방법은 좀처럼 바꾸기 어렵습니다. 헛똑똑이 공부인 셈입니다.

공부를 잘하는 아이들의 비밀

내 아이가 이런 딱한 아이가 되지 않았으면 하시지요? 아이가 공부한 만큼 좋은 성적을 받길 바라실 겁니다. 가슴 아픈 이 아이들도 초등학교 때는 똑똑하단 얘기를 줄곧 들었습니다. 중학교 때도 자신감 넘치게 공부하며 우등생 소리를 들었습니다.

초등학교 단원 평가에서 만점 받는 것, 중학교 모든 과목에서 A를 받는 것은 고등학교에서 1등급을 받는 것과 상관이 없습니다. 초등학교 때 받은 영재 수업, 수학 경시 대회 수상, 영어 말하기 대회 수상 실적은 고등학교에서 크게 의미가 없습니다. 중학교 내신 점수 200점 만점에 190점도 고등학교에서 우수한 성적을 보장하지 못합니다. 진짜 공부 성적표는 고등학교 때 나옵니다. 매정하게 들리겠지만, 고 1부터 고 3까지의 내신 성적, 그리고 고 3 때 수능 성적이 최종 공부 실력입니다.

공부를 잘하고 싶으나 성적이 만족스럽지 못한 아이들도 초등 시기부터 달려왔습니다. 영어 학원, 수학 학원은 기본이죠. 영어 유치원을 졸업하고 화상 영어에 문법 수업도 챙겨 들었습니다. 수학은 남들 다 하는 정도로 공부했습니다. 고 1 때 배우는 '수학 상 · 하'는 고등학교 입학 전에 학원에서 모두 배웠습니다. 독서 토론 학원도 부지런히 다녔습니다. 그런데 이 아이들이 고등학교 본 시험에서는 영어 5등급, 수학 5등급, 국어 4등급을 면치 못합니다.

1등급은 분명히 존재합니다. 지능이나 유전의 영향이라고 합리화하지 마세요. 특별한 공부 머리를 가진 아이들이 아닙니다. 보통의 지능인 아이들입니다. 남다른 점이 있다면 이 아이들은 무엇을, 얼마만큼, 어떻게, 왜 공부해야 하는지 분명히 알고 있다는 점입니다. 지혜롭게 공부 실력을 내보이는 아이들의 특징은 다음과 같습니다.

첫째, 무엇을 공부해야 하는지 압니다. 같은 수업을 들어도 무엇이 중요한지 파악하지 못하는 학생이 많습니다. 우등생들은 다르지요. 중요한 지식과 덜 중요한 지식을 알고 있습니다. 배운 내용을 여러 번 반복 학습하며 중요한 지식을 자기 것으로 만들고 덜 중요한 지식도 알아 둡니다. 몇 번 스쳐본 것을 다 알았다고 자만하지도 않습니다. 자기 지식을 객관화합니다. 모르는 지식에 집중해 효율적으로 공부합니다. 글로 쓰고 말로 설명할 수 있는 지식만이 제대로 된 공부라고 인식합니다.

둘째, 얼마만큼 공부해야 하는지 압니다. 공부의 끝은 배운 내용을 완벽하게 알 때까지입니다. 우등생들은 그 끝을 위해 다른 아이들보다 더 많은 시간을 투자합니다. 누구보다 노력을 기울입니다. 그래서 시간 관리에 탁월합니다. 시험 기간이 다가오면 공부의 양을 어떻게 나누어서 해야 할지 체계적으로 계획하고 실천합니다. 시험 기간이 아닌 시기에도 꾸준한 공부로 수능과 수행 평가, 지필 평가를 철저하게 준비합니다. 압도적인 공부량을 자랑합니다.

셋째, 어떻게 공부해야 하는지 압니다. 중학교 때까지 하던 암기식 공부는 고등학교에서 통하지 않습니다. 암기를 넘어 적용하고 응용할 수 있도록 공부해야 해요. 우등생들은 이해를 통한 암기를 바탕으로 학습 내용을 깊이 파고듭니다. 사고력을 바탕으로 공부해요. 문제 유형만 외우지 않고 학습 내용의 원리를 정확하게 알고 있기에 새로운 유형의 문제가 나와도 자유자재로 활용할 수 있습니다.

넷째, 왜 공부해야 하는지 압니다. 공부에 노력을 기울이는 최고의 방법은 내적 동기를 갖는 것입니다. 마음이 움직여야 공부합니다. 공부해야 할 이유도 모른 채 매일 몇 시간씩 앉아서 공부하기란 쉽지 않지요. 재미있어서 공부하는 아이는 몇 되지 않습니다. 자기 꿈을 위해서, 미래를 위해서 공부합니다. 치열하게 공부해야 하는 이유를 자기 안에서 찾습니다. 최선을 다하는 힘은 공부하고자 하는 의지에 있습니다.

간혹 처음에는 중위권 성적이었는데 시험을 거듭할수록 상위권으로 성적이 오르는 아이들이 있습니다. 이런 아이들은 공부를 거듭하며 자기만의 방식으로 우등생의 특징을 장착하게 된 경우입니다.

오해는 마세요. 아직 초등학생인 아이들에게 1등급이 되라고 강요하는 말이 아닙니다. 내 아이가 어떻게 자라면 좋을지 그림을 그려보자는 겁니다. 당장 1등급을 목표로 하자는 것이 아니라 우등생들이 공부를 대하는 태도와 기술을 배우자는 의미입니다.

내 아이가 1등급이 될 확률은 4%밖에 되지 않습니다. 희박합니다. 그럼에도 우등생들이 지닌 성실, 끈기, 시간 관리 능력, 자기 효능감, 메타 인지 능력, 자신감 등은 충분히 배울 수 있습니다. 이것이 바로 공부의 정석을 따라 기초를 다지며 자연스럽게 키울 수 있는 공부 역량입니다.

초등 공부, 진짜 목표는 이것이다

고등학교에 가서 빛이 나는 아이들은 탄탄한 기본기를 갖추고 있습니다. 생활과 학습 습관이 정돈되어 있어요. 단순히 교복을 입었다고 태도가 바뀌는 것은 아닙니다. 초등 시절부터 몸에 배어 있어 자연스레 나오는 태도입니다. 자신감을 가지고 자기 능력을 십분 발휘하는 아이, 공부의 참 의미와 즐거움을 깨닫는 아이로 성장할 수 있도록 초등 시기부터 차근차근 준비해 봅시다.

공부의 기초 체력을 기르는 초등 공부

대학 입시로 인해 우리나라 학교 교육의 본질이 흔들리고 있는 것은 사실입니다. 입시가 학교 공부의 중심에 있다는 건 부정할 수 없는 현실입니다. 인정합니다. 의사, 변호사가 꿈이어도 성적을 맞추지 못하면 원하는 학과 입학은 불가능합니다. 성적에 맞춰 원하지 않는 학과를 선택하기도 하지요. 고등학교에서는 이런 일들이 비일비재합니다. 공부는 곧 입시라는 프레임 속에 많은 수험생이 가슴앓이를 하고 있습니다. 이미 지나온 초등학교, 중학교 시절을 후회하지만, 만회할 힘이 없습니다. 하고 싶은 공부를 포기하게 됩니다.

그래서일까요? 초등학교 입학과 동시에 아이들은 공부 스트레스를 받기 시작합니다. 초등 고학년이 될수록 학업 부담은 높아집니다. 아이들은 공부를 왜 해야 하는지도 모른 채 선행 학습을 하고 더 어려운 문제 풀기에 급급합니다. 성장기 아이들이 수면 시간도 보장받지 못한 채 공부에 매달리고 있습니다.

아직 입시는 멀었습니다. 처음부터 내달리면 마라톤의 결승점에 웃으며 들어갈 수 없습니다. 마라토너들을 생각해 보세요. 긴 거리를 달리기 위해 선수들은 기초 체력을 먼저 키웁니다. 매일 근력 운동, 자전거 타기, 유산소 운동을 하며 체력을 증진해 나갑니다. 다져진 근육과 늘어난 체력은 마라톤을 완주하는 기반이 됩니다.

초등 시절은 마라토너가 몸을 만들 듯 공부의 기초 체력을 다지는 시기입니다. 얼마만큼의 거리를 얼마만큼의 속도로 뛰는지는 중요하지 않습니다. 결승점에 먼저 도착했다고 해도 소용없어요. 진짜 경기는 고 3 때가 되어야 합니다. 초등 시기는 학습과 생활에 필요한 기본 자질을 익히는 시기입니다. 공부에 필요한 몸, 마음, 머리, 태도를 정성스럽게 가꾸어야 합니다.

공부에 필요한 몸을 위해서는 건강이 우선입니다. 아이의 성장기는 두 번 다시 오지 않습니다. 건강한 체력이 뒷받침되어야만 공부할 수 있습니다. 초등뿐 아니라 고등까지도 체력은 1순위입니다. 건강한 몸을 위한 생활 습관은 자기 관리 능력과도 연관되어 있습니다.

공부에 필요한 마음을 위해서는 긍정적인 공부 정서를 염두에 두세요. 공부를 좋아하는 고등학생은 극히 드물지요. 그럼에도 초등 시절만큼이라도 공부에 대한 호감이 있어야 합니다. 학교에서 배우는 인문, 사회, 과학 등의 기초 지식을 즐겁게 배워야 합니다. 아이들이 직접 보고 만지며 다양한 학습 경험을 해야 해요. 학업 부담을 줄이고 공부의 필요성을 마음으로 느껴야 합니다.

공부에 필요한 머리를 위해서는 역량에 집중하세요. 공부 머리를 기르는 데는 암기력 이외에도 문제 해결 능력, 문해력, 사고력, 창의력, 의사소통 능력, 정보 처리 능력 등이 필요합니다. 암기력은 단기간에 길러질 수 있지만 그 외의 역량들은 단련하는 데 시간이 오래 걸립니다. 암기된 정보처럼 가시화된 결과가 없기에 소홀해지기 쉬우나 초등 시기에 공부 머리를 키우기 위해서는 보이지 않는 역량을 키우는 데 정성을 들여야 합니다.

공부에 필요한 태도를 갖추기 위해서는 노력의 가치를 깨닫게 하세요. 공부는 마라톤처럼 외롭고 힘든 레이스입니다. 포기하고 싶을 때가 반드시 생기지만 계속 달려야 합니다. 꾸준히 노력하는 사람만 이 원하는 성과를 얻을 수 있어요. 사회는 더 혹독하지요. 학창 시절의 공부는 사회에 나가기 전 인생을 대하는 태도를 배우는 계기가 됩니다. 공부에 진심을 다하는 태도는 자신에게 주어진 일에 최선을 다하는 삶의 태도로 이어질 것입니다.

대학 입시라는 마라톤 경주의 코스는 파악하되 아이를 뒤에서 밀지는 마세요. 입시 정보는 알고 있되 입시 위주로 공부를 시키지 않는 것이 더 효과적입니다. 관망하며 아이가 긴 레이스를 끝까지 완주할 수 있도록 공부의 기초 체력을 키워 주세요. 초등 시기 공부의 본질인 공부에 필요한 몸, 마음, 머리, 태도를 길러 주세요.

꿈을 찾고 학습 동기를 키우는 공부

고등학생들이 공부하는 걸 보면 얼마나 가여운지 몰라요. 아침 9시부터 오후 5시까지 학교에서 공부하고 난 후 학원에서, 집에서 늦은 밤까지 공부합니다. 주말도 빼놓지 않습니다. 최상위권 아이들을 보면 죽을힘을 다해 공부한다고 해도 과장이 아닙니다. 놀고 싶은 것도 참습니다. 재미있는 드라마도 보지 못합니다. 좋아하는 게임도 내팽개쳤습니다. 보통의 의지로는 어렵습니다.

절제하며 매일 공부에 매진하는 힘은 어디서 나올까요? 절실하기 때문입니다. 공부해야 할 이유를 알고 있어요. 목표가 있습니다. 무은 직업을 가져야겠다는 꿈이 아니더라도 분명한 도달점이 있습니다. 엄마가 시켜서, 아빠가 하라고 해서 하는 공부가 아닙니다. 간절히 바라는 바를 이루기 위해서입니다. 원하는 대학에 들어가기 위해, 더 행복한 미래를 위해 노력합니다.

부지런히 공부한다고 해도 원하는 대학에 들어가지 못할 수 있습니다. 보장된 건 없어요. 실패할 수도 있죠. 그렇지만 막막한 앞날에도 불구하고 아이들은 공부에 최선을 다합니다. 후회가 없도록 공부합니다. '내가 최선을 다한다면 꿈은 이뤄질 거야.'라는 자신감이 있습니다.

공부는 아이의 몫입니다. 사춘기에만 접어들어도 아이들은 부모의 말보다 자기 마음에 따라 움직입니다. 행동뿐 아니라 공부도 매한가지입니다. 아이들은 점점 자아를 찾아갑니다. 초등 때는 부모가 이끄는 대로 공부했던 아이들이 자아가 생기며 '엄마가 하라는 대로 하는 게 맞을까?'라며 의심합니다. 자녀를 향한 부모의 공부 욕심이 통하지 않습니다. 공부하라고 강요하는 것보다 공부의 내적 동기를 끌어올려 주어야 합니다.

모든 아이는 잠재력이 있습니다. 초등 1학년 때만 해도 대통령, 가수, 발레리나, 과학자가 되고 싶다고 서슴없이 말하던 아이들입니다. 학년이 오르며 꿈이 사라집니다. 좋아하고 잘하는 걸 알지 못합니다. 아이들은 하고 싶은 걸 강하게 말할 자신감이 없습니다. 현실적으로 꿈을 이루기 어려울 것 같아 포기하기도 합니다.

마음이 안정적인 아이들은 다릅니다. 부모의 믿음과 관심을 충분히 받으며 자랍니다. 어린 시절부터 이어져 온 부모의 사랑이 바탕에 깔려 있어요. 공부가 시작되는 초등 시절에도 부모의 신뢰는 변치 않습니다. 이런 아이를 둔 부모는 '내 아이는 잘할 거야.'라고 믿고 있습니다. 부모가 바라는 꿈보다 아이의 꿈에 집중합니다. 아이가 좋아하는 걸 응원합니다. 1등만 찾지 않습니다. 노력의 가치를 높이 삽니다. 성과보다 태도에 집중합니다.

초등 시기는 공부의 내적 동기를 조금씩 형성하는 시기입니다. 아이들은 아직 경험이 부족합니다. 하고 싶은 일이 많아 꿈도 자주 바뀌지요. 아직은 뚜렷한 공부 동기도 없어요. 고학년으로 가면서 다양한 경험을 바탕으로 공부 목표를 설정합니다. 선명한 꿈이 아니어도 괜찮습니다. 자기 자신을 살피고 어떻게 살고 싶은지 지속해서 성찰하는 힘이 있어야 합니다. 목표가 있는 아이들은 공부하라고 밀지 않아도 알아서 공부하게 됩니다. 초등 시절 무엇보다 중요한 것은 자신의 미래를 긍정적으로 꿈꾸는 일입니다.

초등 공부는 시작이지 끝이 아니다

오후 시간, 요즘 놀이터에는 초등학생이 없습니다. 우리 어린 시절만 해도 놀이터에서 뛰어노는 게 일이었는데 말이에요. 저학년 아이들은 종종 보이지만, 고학년 아이들은 아예 찾아보기 힘들어요. 영어 학원으로, 수학 학원으로 하루 일정이 바쁩니다. 학원에 다녀와서 숙제도 해야 합니다. 잠깐 게임 좀 하고 나면 잠들 시간이 됩니다.

아이가 태어날 때는 '건강하게만 자라다오.'라고 바라던 부모도 아이가 초등학교에 입학할 때가 되면 양육의 기준이 흔들립니다. 입시 제도는 조금씩 바뀌었지만 수십 년 동안 치열하게 계속되어 온 입시 전쟁은 여전합니다. 누구도 피할 수 없습니다. 내 아이는 되도록 상위권 대학의 문을 열었으면 하는 마음이 커집니다.

미래에는 대학 간판이 필요 없다는 이야기도 들리지만, 열심히 달리고 있는 옆집 아이를 보면 부모의 마음은 불안합니다. '내 아이만 뒤처지는 건 아닐까?'라는 생각에 뭐라도 주고 싶어요. 무리해서라도 지원하고 싶습니다. 유명하다는 학원에 등록하고, 부지런히 문제집을 풀립니다.

동네 엄마들의 자식 자랑은 마음을 더욱 초조하게 만들어요. SNS, 유튜브도 그렇습니다. 몇 년을 앞서가는 다른 집 아이들을 보면 '내 아이의 경쟁자는 벌써 저렇게 뛰고 있네, 어떡하지?'라는 고민을 지울 수가 없어요. 괜히 옆집 엄마에게 정보를 묻습니다. 학원 설명회를 쫓아다니며 아이 공부에 도움이 되는 뭐라도 얻고 싶습니다.

초등학교는 등수를 매기는 시험이 없어서 내 아이의 위치 파악이 더 어렵습니다. 공부를 잘하고 있는 건지 자꾸 확인하고 싶어요. 학원의 레벨 테스트는 아이의 정확한 위치를 알려 주는 것 같습니다. 다른 아이와 절대 비교하지 않고 내 아이만 보겠다는 다짐도 레벨 테스트 앞에서 무너집니다. 당장 내 아이의 공부 성과가 얼마나 되는지 직접 봐야만 불안을 조금이나마 잠재울 수 있을 것 같아요.

고 3을 향해 가는 아이의 공부 길에서 부모의 불안은 당연합니다. 내 아이가 좋은 대학에 가면 좋겠고, 성공하길 바라기 때문입니다. 대학 입시 결과가 나오는 고등학교 3학년 2학기 말이 되어서야 불안이 잠재워질 테지요. 대한민국의 학부모로 살며 초연하게 아이의 학교생활을 대하기는 쉽지 않습니다.

10년이면 강산이 변한다지요. 12년이라는 아이의 학창 시절은 짧지 않은 기간입니다. 초등 시기는 이제 막 공부를 시작한 때입니다. 뭐든지 급히 하면 탈이 나기 마련입니다. 어릴 때는 고분고분하던 아이가 사춘기가 되어 엇나가기도 하고요. 공부에 질려 번아웃이 올 수도 있어요. 정작 공부에 집중해야 할 고등학교 시절에 주저앉게 됩니다.

그렇다고 '이때 아니면 언제 놀까?'라는 심정으로 학교 공부도 뒷전이면 곤란합니다. 저학년 때는 아니라도 초등 3, 4학년 정도 되면 아이도 친구들끼리 비교하게 됩니다. 공부 잘하는 아이, 못하는 아이를 서로 잘 알고 있어요. 공부를 놓치면 교실에서 자칫 열등감을 느낄 수 있습니다. 수업 시간이 힘들어집니다.

초등 시절은 생활 습관과 공부 습관을 잡는 시기입니다. 아이들은 배우는 과정에 있습니다. 아이의 학업 레벨보다 공부 과정에 의미를 두세요. 초등 시기이기에 더욱 그렇습니다. 학교 수업이 재미있어야 합니다. 과도한 공부 압력은 공부 의욕을 떨어뜨립니다. 공부하며 성취감이 쌓여야 합니다. 공부는 해볼 만한 것으로 인식할 수 있게 도와주세요. 초등 시절 다져진 공부 자신감이 중·고등학교에 가서 힘을 발휘할 겁니다.

초등 공부의 기준을 제대로 정하라

초등 시기 아이들은 공부에 별생각이 없습니다. 불안한 건 늘 부모입니다. 부모가 초조해하면 아이도 평정심을 잃습니다. 공부에 흥미가 붙지 않아요. 부모님 눈치를 보게 되고 공부의 주체가 흔들리지요. 여유를 가지세요. 눈앞에 작은 숫자에 매몰되지 말고 시야를 넓히세요. 막연하게 옆집 아이가 뛰니깐 내 아이도 뛰어야 한다고 판단하지 않길 바랍니다. 목적지를 생각하며 내 아이에게 초점을 맞추세요.

기준은 내 아이

부모의 욕심은 끝이 없습니다. 몇 년 치 수학 문제를 앞서 풀고, 원어민처럼 영어를 하는 아이를 보면 부럽습니다. SNS에는 왜 이렇게 날고 기는 아이들이 많은지요. 우울한 마음이 들면서도, '내 아이라고 못 할 거 없지.'라고 생각합니다. 잘나가는 아이의 커리큘럼을 따라 하면 내 아이도 비슷한 수준이 될 것 같아요. 이해합니다. 세상에 단 하나뿐인 내 아이는 그 아이들과 견주어 부족한 게 없지요. 사랑에서 나오는 욕심, 맞습니다. 더 잘 키우고 싶고, 더 많이 가르쳐 주고 싶은 부모 마음입니다. 내 아이가 더 잘되라고 하는 투자입니다.

사람이 사는 데 비교가 없을 수는 없습니다. 친구의 아파트, 옆집 엄마의 가방도 비교 대상이 되는데 아이는 어련할까요. 남과 비교하면 끝이 없습니다. 제아무리 부자여도 더 많은 돈을 갖고 싶습니다. 일류 대학을 나와도 자기에 만족하지 못합니다. 자기 안에서 행복을 찾지 못합니다.

매정하게 들리겠지만, 내 아이가 서울대학교에 들어갈 확률은 약 0.5%밖에 되지 않습니다. 99.5%는 우리나라 최고 대학교에 입학할 수 없습니다. 물론 서울대학교 학생이 된다고 하여 모두 행복한 것은 아닙니다. 최고의 대학에 입학할 수 없다고 하여 모두 불행한 것도 아닙니다.

비교는 행복을 갉아먹습니다. 공부의 기준은 내 아이입니다. 아무리 비싼 옷을 입어도 맞지 않으면 소용이 없지요. '저 아이는 머리가 좋아서', '저 아이는 대치동에 살아서', '저 아이는 운이 좋아서'라며 비교하지 마세요. 내 아이를 먼저 보세요. 객관적인 시선으로 내 아이의 지적 능력을 보고 마음을 읽어야 합니다.

아이들은 원치 않아도 자라면서 교실에서 비교당합니다. 반에서 아이들은 공부 1등, 운동 1등, 외모 1등을 평가합니다. 한 아이가 모든 것을 다 잘할 수 없습니다. 누구나 비교 대상이 됩니다. 비교로 인해 알게 모르게 상처를 주고받습니다. 상처를 보듬어 줘야 할 사람은 부모입니다. 비교가 팽배한 사회에서 당당하게 살아갈 방법을 가르쳐 줄 사람은 단연 부모입니다. 설사 비교를 당한다 해도 스스로 자신에게 만족하고 의연한 태도를 지닐 수 있는 아이로 키워야 합니다.

경쟁 사회를 일찍 알아 버린 아이들을 가정에서조차 비교한다면 얼마나 숨이 막힐까요. 성적을 비관하여 자살하는 청소년을 뉴스에서 봅니다. 우울증에 걸린 아이들을 심심치 않게 볼 수 있어요. 꽤 괜찮은 아이인데도 열등감에 휩싸인 아이들이 교실 곳곳에 있습니다.

제발 내 아이를 남과 비교하지 마세요. 스카이 합격 비법, 1등급을 책임져 줄 국어 학원, 최상위권을 보장하는 수학 공부법 등 다양한 정보를 취하되 기준은 내 아이에게 있어야 합니다. 성적보다 소중한 아이입니다.

늘 정답은 내 아이에게 있습니다. 부모는 옆에서 인생 선배로 공부하는 법과 태도를 조언할 따름입니다. 해답은 아이가 찾아야 합니다. 자기 존재를 긍정하며 공부하는 이유와 방법을 탐색해야 합니다. 응원하고 지지해 주세요. 12년 동안 그 마음 변치 마세요.

중심은 학교 공부

중학교만 들어가도 아이들 대부분이 사교육을 받습니다. 학원 공부에 열을 올리지요. 학교 수업 시간에 밀린 학원 숙제를 몰래 하는 아이들도 종종 있습니다. 수업 시간에 집중하지 못하는 건 당연해요. 학교보다 팍팍 앞서 나가는 학원 진도 때문에 힘들지만 참고 공부하는 모습도 보이고요.

학원의 힘을 빌려 공부하는 게 나쁜 것만은 아니에요. 학원 공부는 부족한 부분을 보충하고 공부 습관을 잡는 데 도움이 되기도 합니다. 다양한 문제 풀이로 시험을 대비합니다. 요약 정리된 교재는 아이들의 공부 수고를 덜어주기도 하지요.

하지만 학원이 전부인 양 학교 공부를 뒷전으로 한다면 공부 성과는 불 보듯 뻔합니다. 학원은 학교 공부를 위해 다닌다는 걸 잊지 말아야 해요. 주객을 확실히 알고 중심을 잡아야 합니다. 사교육은 학교 공부를 잘하기 위해 보조적인 역할을 하는 겁니다.

학교 평가가 곧 아이의 공부 실력입니다. 아무리 학원에서 높은 학년의 수학 문제집을 풀어도 이는 공식 평가 자료로 활용되지 않습니다. 학교에서 보는 평가만이 내신 점수나 입시에 쓰입니다. 학교 선생님이 전달하는 학습 내용, 학습 자료가 곧 평가의 범위입니다.

사교육을 하든 하지 않든 최우선은 학교 공부입니다. 수업 시간에 집중해서 참여하는 것이 최고의 공부법입니다. 선생님 말씀에 귀 기울이기, 수업 규칙과 절차에 맞게 참여하기, 학교 숙제와 준비물 꼼꼼히 챙기기 등을 실천하며 사교육보다 학교 수업을 우선순위에 두어야 합니다.

초등부터 이런 인식을 심어 주세요. 학교 수업에 충실할 수 있도록 관심을 쏟아 주세요. 아이가 학교 수업에 대해 긍정적인 태도를 지니도록 대화하는 것도 도움이 됩니다. 교육 가치관이 다소 맞지 않는 선생님이라도 선생님은 필요한 지식과 경험을 가르쳐 주는 훌륭한 분이라고 아이에게 설명합니다. 모르는 것이 있으면 적극적으로 질문하도록 이야기해 주세요. 수업 시간에 배운 내용을 집에서도 즐겁게 대화 나눌 수 있도록 끊임없이 관심을 주세요. 초등 1학년부터 고등 3학년까지, 대학까지도 공부의 중심은 학교에 있습니다.

최종 목표는 내신과 수능

12년 공부 항해의 키를 잡은 건 아이입니다. 아이는 옆집 아이의 배도, 엄마의 배도 아닌 본인만의 배에 탔습니다. 학교에 입학 후 조금씩 물살을 헤치며 앞으로 가고 있습니다. 부모는 등대입니다. 아이가 길을 잃어버리지 않게 비춰 주는 빛입니다. 빛을 따라 아이는 어떤 항로를 거치며 무엇을 향해 나아가야 할까요.

현실적으로 우리나라 일반 고등학교에서는 입시 공부가 중심입니다. 학교에서 공부 스트레스를 받을 수밖에 없어요. 대한민국 교육계가 완전히 바뀌지 않고서는 내 아이가 고등학생이 될 때까지 큰 변화는 없을 겁니다. 고등학교에 가서 불어 닥치는 공부 폭풍에 바로 맞서기 전에 대학 입시에 대해 미리 알아 두면 불안한 마음을 잠재우고 현명하게 대비할 수 있습니다. 공부의 압력을 피할 수는 없겠지만, 아이도 부모도 견디는 힘을 갖추는 데 분명 도움이 될 거예요.

아이 공부 항로의 도착지는 내신과 수능입니다. 대학 입시는 크게 정시와 수시로 나뉩니다. 정시는 모든 수험생이 같은 날 보는 시험, 대학수학능력평가(수능)로 평가합니다. 수시는 학생부 교과전형, 학생부 종합전형 등 다양한 형태가 있는데 큰 맥락은 학교 내신입니다. 수시의 주요 평가 영역이 내신이긴 하나 상위권 대학이나 많은 대학이 '수능 최저'라고 명명하며 일정한 수준의 수능 등급을 요구합니다. 따라서 모든 수험생이 수능을 간과할 수 없습니다.

내신은 학교에서 보는 수행 평가, 지필 평가의 합입니다. 고등학교 내신은 1등급부터 9등급까지 매겨집니다. 보통의 일반 고등학교에서 서울에 있는 대학을 가려면 2등급 정도는 되어야 합격 가능성이 있습니다. 2등급은 전교생의 11%에 해당이 됩니다. 한 학급이 30명이라면 1, 2, 3등을 해야 합니다. 고 1부터 고 3까지 3년 동안 내신 점수는 대학 입시에 평가 자료가 됩니다. 분명한 건, 중학교 내신과 고등학교 내신은 천지 차이라는 점입니다. 중학교 때 A등급을 받은 학생이 고등학교에서는 4등급까지 내려갈 수 있습니다. 아래 내신 등급표를 보세요. 1, 2, 3등급의 누적 비율은 상위 23%입니다. 이후 40%까지는 4등급에 위치하고 있습니다. 따라서 중학교 때 A를 받았더라도 상위 30% 정도에 위치해 있다면 고등학교에 가서는 4등급이 됩니다.

| 고등학교 내신 등급표 |

등급	누적 %	30명	100명	200명	400명
1	4	1	4	8	16
2	11	3	11	22	44
3	23	6	23	46	92
4	40	12	40	80	160
5	60	18	60	120	240
7	89	26	89	178	356
8	96	28	96	192	384
9	100	30	100	200	400

내신은 학교에서 평가하는 것이기에 수업 시간에 배운 내용을 완벽하게 이해하는 것이 최우선입니다. 교과서 내용, 선생님이 제시하는 학습 자료를 꼼꼼히 살펴야 해요. 학습 내용을 완전하게 자기 지식으로 만들고 응용할 수 있다면 우수한 성과를 낼 수 있습니다.

수능은 대학수학능력시험으로 전국의 수험생들이 보는 시험입니다. 대학에서의 교육 과정을 얼마나 잘 수학修學할 수 있는지 평가하

2023학년도 대학수학능력시험 출제 기본 방향

2023학년도 대학수학능력시험 출제위원단은 전 영역/과목에 걸쳐 2015 개정 고등학교 교육 과정의 내용과 수준을 충실히 반영하고, 대학 교육에 필요한 수학 능력을 측정할 수 있도록 출제의 기본 방향을 다음과 같이 설정하였다.

| 출제 기본 방향 |

첫째, 학교에서 얼마나 충실히 학습했는지 평가하기 위해 고등학교 교육 과정의 내용과 수준에 맞추어 출제하고자 하였다.

둘째, 대학 교육에 필요한 수학 능력을 측정할 수 있도록 출제하고자 하였다.

셋째, 영역별 특성을 반영하여 문항을 출제하고자 하였다.

넷째, 교육 과정상의 중요도, 사고 수준, 문항의 난이도 및 소요 시간 등을 종합적으로 고려하여 각 문항을 차등 배점하였다.

다섯째, 일정 비율에 해당하는 문항을 EBS 수능 교재 및 강의와 연계하여 출제하였다.

▪ 출처: 한국교육과정평가원 〈2023학년도 대학수학능력시험 출제 방향 보도자료〉 중

는 것이 시험의 목적입니다. 수능은 고등학교 교육 과정 총론에 명시된 평가 기준에 부합하여 문제가 출제됩니다. 즉, 고등학교 교육 과정의 내용과 수준에 맞게 평가합니다. 매년 한국교육과정평가원은 당해 연도 수능 출제의 기본 방향(상자 참조)을 발표합니다. 이를 보면 수능의 성격을 이해할 수 있습니다.

대입 시험으로 도입된 이래 수능은 신뢰도와 타당도를 갖춘 전국 단위의 시험으로 지금까지 변함없이 이어져 왔지만, 그 방향은 조금씩 변화했습니다. 초기 수능이 시험 문제의 유형을 암기하고 풀 수 있었다면, 지금은 그렇지가 않습니다. 기본 개념을 바탕으로 이해하고 응용, 추론해야 풀 수 있는 문항이 늘었어요. 낯선 지문도 독해할 수 있어야 하며, 새로운 유형의 문제도 사고력을 발휘해 풀어야 합니다.

내신과 수능, 두 마리 토끼를 잡아야 입시에 성공합니다. 내신 점수가 좋다고 비슷한 수준의 수능 등급이 당연히 따라오지 않습니다. 교과 지식만을 달달 외워서는 수능을 잡을 수 없습니다. 교과 지식을 바탕으로 굳게 다져진 사고력, 독해력, 분석력, 추론 능력이 있어야 합니다. 노파심에서 말씀드리지만, 당장 초등 시기부터 수능 문제를 풀고 고 3 수학 문제를 풀라는 의미가 아닙니다. 멀리 내다보고 내신과 수능을 위해 필요한 기반을 닦자는 말이에요.

다음 장에서는 초등 공부의 방향을 잡으며 공부라는 항해의 큰 그림을 그려 보도록 하겠습니다.

초등 공부의 방향을 명확히 잡아라

공부는 건물을 올리는 것과 같아요. 부실 공사로 지어지는 건물은 언젠가는 붕괴하기 마련입니다. 기초가 부족한 공부는 멋진 건물로 완성되지 않습니다. 탄탄하게 기초를 다져야 합니다. 초등은 공부에 대한 기본을 닦는 시기입니다. 느려도 확실한 걸음이 필요합니다. 초등 공부의 본질을 파악하세요. 초등 공부의 기준과 범주를 잘 잡고 흔들리지 마세요.

주요 과목을 탐하라

이과 성향, 문과 성향이란 말이 있습니다. 수학을 좋아하는 아이는 수학 문제 푸는 게 재미있습니다. 이과 성향인 아이들은 숫자가 좋습니다. 반면에 영어, 사회 과목에 대한 흥미는 떨어질 수 있어요. 반대로 언어에 관심이 있는 아이는 문과 성향입니다. 국어, 영어는 부담 없이 공부하지만, 수학이 어렵게 느껴질 수도 있습니다.

고등학생들에게도 문·이과 성향이 드러납니다. 수학 문제집을 취미로 푸는 아이는 누가 시키지 않아도 수학 공부가 즐겁습니다. 자연스럽게 수학 과목의 내신 점수도 우수합니다. 그런데 사회 과목은 영 탐탁지 않습니다. 암기하려 해도 내용이 잘 외워지지 않아요. 하기 싫었던 공부를 미뤄두었던 터라 시험 기간에 한국사나 사회 과목은 공부할 시간이 없습니다. 수학은 1등급이지만 사회는 8등급을 받기도 합니다.

과목별 편차가 큰 아이들이 있습니다. 자기 취향에 맞게 취사선택하여 공부하는 스타일이지요. 좋아하는 과목에 대한 몰입이 나쁘지만은 않습니다. 하지만 입시 현장에서는 다릅니다. 국어, 영어, 수학, 사회, 과학을 균형 있게 공부해야 원하는 대학에 들어갈 기회가 많아집니다. 특히 상위권 대학일수록 과목별 선호도를 떠나 주요 과목 점수가 우수해야 합니다.

이는 태도의 문제이기도 합니다. 수학에서 1등급 맞을 실력이 있는 아이라면 다른 과목도 공을 들이면 충분히 만회할 만한 공부 머리가 있는 아이입니다. 싫어하는 과목은 공부를 아예 배제해 버리는 태도가 성적으로 이어집니다. 과목별 성적 편차가 나는 것이 입시에 불리하다는 걸 알면서도 잘 고쳐지지 않아요. 선생님과 부모님이 조언해도 초등학교, 중학교를 거치면서 굳어진 공부 취향은 변하기 어렵습니다.

초등부터 주요 과목에 골고루 집중해야 합니다. 국어, 영어, 수학, 사회, 과학입니다. 고등학교 내신에서도 모든 대학의 입시 평가 과목은 국영수사과입니다. 전공에 따라 한두 과목 빠질 수는 있지만, 대부분은 주요 과목을 얼마만큼 성취했는지 봅니다. 주요 과목 시간에 구체적으로 어떤 활동을 하고 탐구했는지를 평가합니다.

초등 3학년부터 주요 과목이 시작됩니다. 주요 과목은 한 학년에서 배우는 내용이 끝나는 것이 아니라 다음 학년, 상급 학교까지 연계되어 있습니다. 학년이 오를수록 학습 내용이 확장되고 심화되지요. 초등학교에서 배운 내용이 중·고등학교까지 이어집니다.

예를 들면 초등 5학년 때 배우는 소수의 나눗셈은 중등 1학년에서는 정수와 유리수, 중등 2학년에서는 유리수와 순환 소수, 중등 3학년에서는 제곱근과 실수, 고등 1학년에서는 복소수와 이차 방정식, 고등 2학년에서 유리 함수와 무리 함수까지 이어집니다. 초, 중, 고로 이어지면서 내용은 복잡해지고 어려워집니다. 어느 한 부분에 공백이 생기면 다음 단계의 공부를 제대로 할 수 없습니다. 초등부터 기본기를 탄탄하게 다져야 하는 까닭입니다.

수학이 가장 계열성이 강한 과목이긴 하나 다른 과목도 마찬가지입니다. 학습 내용은 넓은 개념에서 시작해 점점 세분화하고 깊어집니다. 학년별로 학습 내용을 얼렁뚱땅 넘어가면 다음 학년 공부에 어려움이 생깁니다. 초등 시기에 수포자, 영포자가 되면 안타깝게도 이는 고등학교까지 이어질 확률이 높아요.

학교 수업 시간에도 주요 과목 비중이 가장 큽니다. 다른 과목이 중요하지 않다는 말이 아닙니다. 다른 과목에 비해 주요 과목을 우선순위에 두라는 얘기입니다. 학교에서 배우는 주요 과목의 수업 내용을 구멍 없이 익혀야 해요. 타고난 성향으로 싫어하는 과목이 생기더라도 국영수사과 과목에 흥미를 붙이도록 해야 합니다.

주요 과목의 공부 목표는 제 학년 교과서의 각 단원에 실린 학습 목표를 보면 알 수 있습니다. 수능에서 만점 맞은 학생들이 "교과서 위주로 공부했어요."라고 하는 말을 지겹도록 들어 보셨지요? 그 말은 초등 시기인 현재도, 아이가 고 3이 되어서도 유효합니다. 교과서는 학교 공부의 모든 기준입니다. 교과서의 내용을 모두 이해하고 있다면 시험이 두렵지 않아요. 문제집이나 부교재보다 먼저 봐야 할 책은 교과서입니다. 모든 공부의 답은 교과서에 있습니다.

아이들은 배움에 늘 열린 마음입니다. 학교에서 배우는 지식이 재미있어야 합니다. 아이 수준에 맞지 않는 과도한 공부 욕심은 내려놓으세요. 지금 아이가 배우는 주요 과목의 교과서를 살피고 잘 따라가는지 점검하세요. 공부에 있어서 지름길은 없습니다. 주요 과목의 기초 지식을 제 것으로 차근차근 만들어야 합니다.

사고력에 집중하라

우리나라 교육은 미래 교육에 발맞춰 변화해 왔습니다. 아이들 교육 현장이 부모 세대와 똑같다고 생각한다면 오산이에요. 입시 위주 교육은 여전하지만 최근 교육의 중심은 교사에서 학생으로 옮겨가고 있습니다. 일제식 강의에서 벗어나 토론, 프로젝트 수업이 활발합니다. 정확한 정답만 요구하던 객관식 시험에서 한발 나아가 자기 생각을 말하고 쓰는 능력을 요구하는 평가도 늘고 있습니다. 수업 시간에 목소리를 크게 내는 사람은 선생님보다 아이들입니다.

2015 개정 교육 과정부터 역량 함양 교육이 시행되고 있습니다. 교육은 더 이상 무엇을 얼마나 많이 외우고 있는지를 평가하지 않습니다. 지식을 많이 아는 것보다 알고 있는 지식으로 무엇을 할 수 있는지가 중요합니다.

앞서 아이 공부 목표를 내신과 수능에 두었습니다. 내신 점수는 수행 평가를 반드시 포함합니다. 오지선다형 문제를 푸는 게 아니라 보고서를 쓰고 발표해야 하지요. 스스로 주제를 선정하고 탐구해야 합니다. 정보를 수집하고 문제를 적극적으로 해결해야 해요. 친구들과 토의, 논쟁, 협력하는 상황도 생깁니다. 공감력과 비판적 사고를 발휘해야 합니다.

수능은 어떨까요? 유형과 지문을 외워서 수능을 풀던 때가 있었습니다. 문제의 유형을 공부하고 암기하는 식이었지요. 생각하는 힘은

별로 중요하지 않았습니다. 누가 얼마만큼 다양한 유형에 익숙한지에 따라 고득점을 받을 수 있었어요. 그리고 고난도 문제인 킬러 문항은 영특한 머리를 가진 아이들이 독차지하기도 했습니다.

이제 사고력 없이는 수능에서 고득점을 받기 어렵습니다. EBS 연계 출제 문제 유형의 비중은 50% 정도입니다. 따라서 수험생들은 생소한 지문을 읽습니다. 처음 보는 문제 유형을 맞닥뜨립니다. 수험생들은 시험이 이전 기출 문제보다 어렵다고 합니다. 하지만 수능 문제를 분석하는 전문가들에 따르면 킬러 문항은 없어지고 준킬러 문항이 늘어났다고 해요. 문제 유형이 낯설어 그렇지, 난도는 크게 높지 않다고 평합니다.

수능 시험에서 문제 유형을 외우는 방식은 더는 통하지 않습니다. 올바른 개념을 알고 종합적으로 사고하는 능력이 요구됩니다. 새로운 문제 형식을 보고 어떤 개념으로 풀어낼지 생각하는 힘이 필요합니다. 수능은 출제 기본 방향에 맞게 기본 개념에 대한 이해와 적용 능력을 평가합니다. 주어진 상황을 통해 문제를 해결하고 추리, 분석, 탐구하는 사고 능력을 측정할 수 있도록 출제되고 있습니다.

따라서 사고력이 입시 성공의 문을 여는 열쇠입니다. 세상의 모든 문제 유형을 달달 외울 수 없어요. 수능은 분석력, 추론 능력, 종합적 사고력, 대안 제시 능력 등을 평가합니다. 복잡한 상황을 이해하고 그 안에 숨어 있는 의미를 파악하는 데에 정통해야 합니다.

사고력은 단숨에 만들어지지 않습니다. 생각하는 힘의 짝꿍은 독서입니다. 꾸준한 독서는 사고력을 증진하는 데 도움을 줍니다. 배경지식을 넓히고 사고력을 키우는 가장 좋은 수단이 바로 책 읽기지요. 초등학교·중학교 때는 중위권 성적이던 아이가 탄탄한 독서력을 바탕으로 고등학교에 가서 성적을 올리기도 합니다. 반면 열심히 공부해도 성적이 오르지 않는 고등학생들도 있습니다. 다양한 이유가 있겠지만, 독서 경험이 부족한 데에 원인이 있기도 합니다.

많이 생각해 본 아이가 생각하는 힘을 지닙니다. 눈으로 훑으며 겉만 공부한 아이는 논리적으로 추론하기를 어려워합니다. 초등 시기이기에 더욱더 독서를 챙겨야 합니다. 초등부터 차근차근 사고의 힘을 길러줘야 합니다.

초등은 초등답게 공부하라

학교 공부도 챙기고 사고력까지 챙기려니 부담되시지요? 초등 시기에는 어디까지나 초등학생답게 생활했으면 합니다. 초등학생은 생활에 필요한 기초 생활 습관 형성과 학습에 필요한 기초 학습 능력을 배양해야 합니다. 몸과 마음 모두 건강하게 자라야 합니다.

수능을 목표로 잡고, 고등학교 우등생의 특징을 알아보는 것은 어디까지나 아이 공부의 청사진을 그려 보기 위함입니다. 지금 당장 수능에 필요한 사고력의 수준을 확인하고 1등급 성적표를 받자는 뜻이 아니에요.

결과에 매몰되면 한 뼘씩 계속 자라고 있는 아이의 과정을 그냥 지나치기 쉽습니다. 지금 아이는 성장의 과정에 있다는 걸 잊지 마세요. 초등 시기에는 고등학생이 되든, 성인이 되든 아이가 자신의 무기로 사용할 만한 태도를 하나씩 배워가는 중이라 생각하세요.

초등학생은 초등학생답게 자라야 합니다. 공부가 재미있어야 합니다. 학교는 즐거운 곳이어야 합니다. 배움은 신나야 해요. 생각은 귀찮은 것이 아니라 자연스러운 것이라고 인지해야 합니다. 친구를 경쟁자가 아닌 함께 놀고 공부하는 파트너로 여겨야 합니다. 부모로부터 질책보다는 사랑을 받는 아이여야 합니다.

공부에만 매달려 어린이로서 필요한 경험을 간과하지 마세요. 다양한 경험을 통해 세상을 배우고 꿈을 꾸어야 합니다. 초등 아이들은 바른 생활 습관, 공부 습관을 키우며 튼튼하게 자라야 합니다.

2장

1등급으로 가는 초등 공부의 정석

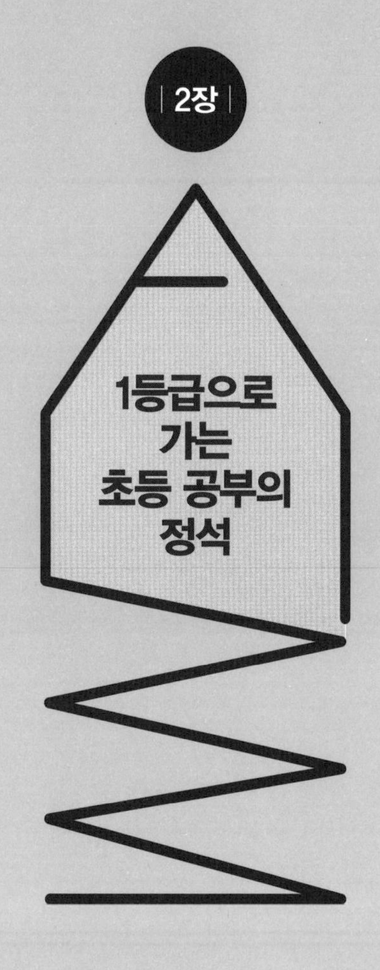

공부하는 방법을 제대로 알아야 성적이 오른다

아이가 열심히 공부한 만큼 좋은 성적이 나오면 더는 바랄 게 없습니다. 학창 시절 우리도 공부를 해봤지만, 공부 방법에 따라 학업 성취도가 달라집니다. 중·고등학교 공부는 시험의 연속입니다. 시험에서 좋은 성적을 받기 위해서는 효율적인 공부가 필요합니다. 시험에 쓰이는 공부가 어떤 공부이며, 어떤 과정을 거쳐 이루어지는지 알면 초등 시기부터 차근차근 공부하는 방법을 익힐 수 있습니다.

좋은 결과를 낳는 공부 방법

"나 어제 4시간 공부했잖아."

국어 학원에서 2시간, 수학 학원에서 2시간을 보내고 온 중학생이 친구들에게 당당하게 말합니다. 학교에 와서는 숙제하느라 바빠요.

워낙 많은 학원 숙제량 때문에 수학 문제를 풀 때 잘 풀리지 않으면 바로 답지를 보고 베낍니다. 공부 잘하는 친구에게 숙제 좀 해달라고 부탁하기도 해요. 부지런히 수업 듣고 숙제도 했지만, 이 아이는 가짜 공부를 했습니다. 수업 시간에 들은 지식, 학원에서 선생님이 일방적으로 알려 주는 지식을 공부했다고 착각하고 있습니다. 자기 지식으로 변환하기도 전에 학원 숙제에 치여 문제 푸는 데만 급급합니다. 시간은 많이 들였으니 열심히 공부했다고 오해합니다. 어제 배운 내용을 설명해 보라고 하면 선뜻 대답하지 못합니다. '학습學習'에서 배우기學는 했지만, 익히는習 과정이 없었기 때문입니다.

공부가 자기 지식이 되려면 들은 만큼, 아니 그 이상 혼자서 익히는 과정이 필수입니다. 여러 번 반복해서 배운 내용을 익히고 '툭' 치면 '톡'하고 나올 정도로 바로바로 학습 내용을 읊을 수 있어야 진정한 공부입니다. 성실히 공부하고 결과에 후회가 없는 아이들은 이 부분에서 자기 자신을 정확하게 알고 있습니다. 자기 공부가 완벽하지 않다면 절대 확신하지 않습니다. 아는 것과 모르는 것을 명확하게 인지합니다. 지금은 알아도 1주일, 2주일 후에는 잊을 수 있다고 생각하며 계속해서 학습 내용을 확인합니다. 그렇기에 눈으로 보고 들은 내용으로 자신의 공부 상태를 판단하지 않아요. 자기 입으로 말하고 직접 글로 써 보며 지식을 확인합니다. 자신의 인지 과정을 한 차원 높은 시각으로 바라보며 아는 것과 모르는 것을 스스로 자각하고 판단하는 능력을 '메타 인지'라고 합니다.

처음 공부하는 방법을 배우는 초등 아이들에게 메타 인지 능력을 심어 주세요. 무언가를 배울 때 내가 알고 있는 것과 모르는 것을 명확하게 구분해야 합니다. 알고 있다는 느낌이 실제 내 지식이 아닐지도 모른다고 의심해야 합니다. 자주 보고 들었기 때문에 잘 안다고 착각할 가능성이 있습니다. 공부는 객관적인 시각이 필요합니다.

좋은 결과를 얻는 공부에 있어서 공부의 범위도 중요합니다. 같은 수업을 듣고도 아이들마다 받아들이는 범위가 다릅니다. 선생님 말 하나하나에 집중하는 아이가 있는가 하면, 큰 맥락만 짚는 아이가 있습니다. 큰 맥락만 짚는다고 학교 공부를 소홀히 하는 것은 아닙니다. 하지만 탁월한 결과를 얻으려면 수업 시간에 나온 모든 내용을 완벽하게 이해하는 데 목표를 두어야 합니다. '이 정도면 됐지.'라는 생각보다 '이 정도여도 괜찮은가?'라고 의문을 품어야 합니다. 적당히 넘어가면 학업에 빈틈이 생길 수밖에 없고 다음 이어지는 학습에서 문제로 드러납니다.

공부는 입력과 출력

공부는 알 때까지 익히는 것입니다. 사람은 망각의 동물이기에 시간이 지나면 알고 있는 지식도 점점 휘발됩니다. 구구단처럼 일상에서 계속 반복하여 활용하지 않는 이상, 학교에서 배운 낯선 지식은 머릿속에서 금방 사라집니다. 벼락치기로 공부한 학습 내용을 시험이 끝나면 새까맣게 잊어버리는 건 당연합니다.

공부는 원래 어렵습니다. 서울대학교 학생들에게도 공부는 힘든 영역입니다. 많은 양을 얼마나 정확하게 알고 있는지, 얼마나 올바르게 문제를 해결하는지의 싸움입니다. 문제만 푼다고 해결되지 않습니다. 개념만 많이 안다고 좋은 성과가 보장되지 않아요. 입시를 위한 평가는 그렇게 호락호락하지 않습니다.

학교에서 이루어지는 평가는 대개 학습 내용을 얼마나 알고 있으며 응용할 수 있는지를 묻습니다. 아무리 상식이 뛰어나도 시험 범위 속 지식이 없다면 문제를 해결할 수 없어요. 다행히 평가 범위는 수업 중 배운 내용입니다. 배운 내용을 자유자재로 활용할 수 있도록 내 지식으로 변환한다면 공부를 잘할 수밖에 없습니다.

수업을 한 번 듣고 학습 내용을 완벽히 이해할 수 있는 아이는 없습니다. 학습 내용을 반복해서 보고 이해하는 과정이 꼭 필요하지요. 들어간 것이 없으면 나오는 것이 없습니다. 꾸준히 머릿속에 입력하고 되새기며 자기 것으로 만들어야 합니다. 공부에 복습이 절대적으로 필요한 이유입니다.

초등 시기에는 정기적인 평가가 없기에 복습을 소홀히 할 수 있습니다. 하지만 중·고등학교에 가서 제대로 된 공부 방법으로 우수한 성과를 낸 아이들은 복습을 여러 번 했다는 점을 기억하세요. 들은 내용을 알고 있다고 착각하지 말고 완벽하게 알 때까지 보고 또 봐야 합니다. 학습 내용을 완벽히 안다는 건 개념만 달달 외운다는 의미가 아닙니다. 개념이 나온 연유와 활용 범위까지 확장할 수 있어야 합니다. 개념을 이해하고 분석하고 적용하는 과정이 자동으로 이루어질 수 있을 정도로 학습 내용을 익혀야 합니다.

공부는 정직합니다. 제대로 된 방식이라면 공부한 만큼 성과가 나옵니다. 초등 시절은 학습 분량이 중학교에 비해서 그렇게 많지 않습니다. 그날 배운 내용을 복습하며 자기 지식으로 만드는 습관을 들이세요. 초등 시절 복습해 본 아이가 중·고등학교에 가서도 수월하게 공부할 수 있습니다.

아이가 지식을 오랫동안 저장할 수 있는 공부 방법으로 복습을 강조했습니다. 당연하지만 복습은 아이가 하는 것입니다. 가끔 아이의 복습을 도와주겠다고 부모가 팔을 걷고 나서는 경우가 있습니다. 모르는 개념을 부모가 공부하여 아이에게 설명해 줍니다. 아이는 엄마의 설명을 듣고 또다시 다 알았다고 착각합니다. 이는 아이가 수업을 다시 듣는 것과 마찬가지입니다. 듣는 공부에서 멈춰 버리게 됩니다. 공부는 아이 스스로 익히는 과정이 꼭 필요합니다. 공부의 주체는 아이임을 잊지 마세요. 부모의 설명을 들었다 해도 다시 주도적으로 반복 공부하는 시간은 필수입니다.

공부는 '읽기'에서 시작한다

고등학교 지필 고사를 보던 때를 기억하시나요? 교과서를 읽고, 읽고, 또 읽었습니다. 그렇게 읽은 후 문제를 열심히 풀었습니다. 교과서 지문에 열심히 밑줄을 쳐 가며 읽었습니다. 그런 후 제대로 알고 있는지 기출문제로, 예상 문제로 확인했죠. 지금 아이들의 공부도 우리가 하던 때와 비슷합니다. 영상으로 정보를 얻는 시대라지만, 학교에서는 종이로 된 교과서와 시험지를 사용합니다. 아이들은 글에 익숙해져야 해요. 공부는 글을 읽는 것에서 시작합니다.

읽기의 중요성

요즘 아이들의 문해력이 문제라고 합니다. 글을 읽고 이해하는 능력이 떨어진다고 해요. 디지털 네이티브로 태어난 초등학생들입니다. 영상이 익숙한 아이들은 글을 읽는 데 어려움을 겪습니다. 글을 제대로 읽지 못하는 아이들은 학교 공부에서 문제점이 바로 드러나지요.

글을 읽고 이해하는 능력인 문해력은 공부와 직결되어 있습니다. 학교 공부의 기본은 교과서이기 때문에 그렇습니다. 교과서의 내용을 읽으며 해석하지 못하면 개념을 파악할 수 없습니다. 비단 국어 과목만 해당하지 않아요. 수학에서 문장 형식으로 나오는 문제도 당연히 문해력을 요구합니다. 계산은 가능할지 모르지만, 문제를 읽고 이해하지 못하면 엉뚱하게 식을 세울 수 있습니다. 영어도 그래요. 문해력이 부족하면 지문에서 단어는 읽을 수 있어도 문맥을 통한 해석은 매끄럽게 하기 어렵습니다.

실제 우리나라 청소년들의 읽기 능력은 심각한 수준입니다. 경제협력개발기구OECD의 국제학업성취도평가PISA 조사 결과를 보겠습니다. 만 15세 이하 학생들을 대상으로 읽기, 수학, 과학 영역에서 학업 성취 수준을 평가하는데요, 2009년 539점으로 2~4위였던 우리 학생들이 2018년에는 514점에 6~11위로 점수와 순위가 크게 떨어졌습니다.

이에 대해 한국교육과정평가원은 연구 보고서에서 '우리나라 학생들이 기본적인 읽기 과정에 다소 어려움을 겪는 것으로 나타났다.'라며 기초 읽기 능력 향상의 중요성을 언급했습니다.

| 우리나라 읽기 소양 평균 점수 및 순위 추이 |

구분 \ 연구 주기 (전체 참여국 수)		PISA 2000 (43개국)	PISA 2003 (41개국)	PISA 2006 (57개국)	PISA 2009 (75개국)	PISA 2012 (65개국)	PISA 2015 (72개국)	PISA 2018 (79개국)
평균 점수		525	534	556	539	536	517	514
순위	OECD	6	2	1	1~2	1~2	3~8	2~7
	전체	7	2	1	2~4	3~5	4~9	6~11

▪ 출처: 한국교육과정평가원 〈2018 국제학업성취도평가 연구 결과 보고서〉

초등 저학년 시기에는 다들 비슷했던 읽기 능력이 학년이 올라가고 학습량이 많아지며 점차 격차가 벌어집니다. 이는 중학교까지 이어집니다. 중학교 교실에서 열 명 중 세 명은 제 또래 평균 문해력에 미치지 못합니다. 더 심각한 건 열 명 중 한 명은 초등학생 수준이라는 점입니다. 고등학교라고 별반 다르지 않습니다. 수업 중 엎드려 자는 아이는 열이면 열 문해력이 낮은 아이들입니다.

한 번 떨어진 문해력은 고 3까지 공부에 크나큰 영향을 줍니다. 교과서를 읽지 못합니다. 선생님의 설명은 점점 이해하기 어려워집니다. 학습 내용을 파악하지 못하니 학업 성취도가 떨어집니다. 공부 자신감이 하락하고 학습 동기마저 잃어버려요. 악순환이 반복됩니다.

읽기가 곧 공부의 시작입니다. 텍스트를 읽고 끝나는 게 아니라 이해할 수 있어야 해요. 12년 동안 지속해서 읽기 능력을 제 학년에 맞게 축적해야 합니다. 현란한 영상도 좋지만, 종이에 쓰인 텍스트 읽는 능력을 키워 주세요. 시험 문제는 모두 종이에 인쇄된 문자라는 걸 잊지 마세요.

교과서 읽기

문해력은 글을 읽고 이해하는 능력입니다. 우리는 아이의 학교 공부를 위해 문해력을 높이려고 합니다. 그렇다면 어떤 글을 읽어야 할까요? 네, 교과서입니다. 참고서도 베스트셀러 소설도 후 순위입니다. 초등 1학년부터 고등 3학년까지 학교 공부에서 최우선으로 둬야 할 책은 바로 교과서입니다. 교과서를 통독하고, 정독해야 합니다.

교과서는 정제된 정보를 담고 있습니다. 교육 과정에 명시된 학습 내용을 엄선하여 체계적으로 활자화한 책이 교과서입니다. 각 분야의 최고 전문가가 치밀하게 증명한 정보만을 담은 책입니다. 교과서보다 친절하게 개념을 설명하는 책은 없습니다. 아이의 정서와 인지 발달에 맞게 지식을 제공하는 읽기 자료도 교과서에 실려 있습니다. 학습 내용에 따라 이미지, 도표, 지문 등의 학습 자료가 긴밀하게 연결되어 있어 아이들의 이해를 돕습니다. 교과서는 학습 목표를 명확히 제시하고 성취해야 할 학습 내용도 분명하게 알려줍니다. 제 학년마다 어떤 학습을 완료해야 하는지 그 종착점을 알려 준다고 볼 수 있어요.

이미 학교에서 한 번 본 내용인데 집에서까지 봐야 하나 고민이 될 겁니다. 핵심만 쏙쏙 뽑아놓은 참고서가 매력적이긴 하죠. 아이들이 좋아하는 세련된 캐릭터가 등장하고, 교과서보다 간략하게 정리되어 있으니 보기도 편합니다. 다양한 유형의 문제를 제공하는 문제집도 편리하지요. 문제를 풀며 아이가 아는 내용을 점검할 수 있고, 공부한 티도 납니다.

그럼에도 다시 한번 왜 교과서를 읽어야 하는지 말씀드릴게요. 학교에서 학업 성취도가 아주 낮은 아이들은 교과서를 읽지 못합니다. 중간 성적의 아이들은 교과서를 대충 읽어요. 우수한 성적의 아이들은 교과서를 통달하고 있습니다. 최상위 성적의 아이들은 어떤 개념이 교과서 몇 페이지 어느 쪽에 자리하고 있는지까지 알고 있어요. 통달을 넘어섭니다.

참고서나 문제집을 보는 것도 좋은데요, 이는 교과서를 여러 번 읽은 후였으면 합니다. 한 번 읽고 완벽하게 이해하는 사람은 없어요. 처음부터 완벽함을 바라지는 마세요. 처음은 가볍게 읽고, 서너 번 학습 내용이 익숙해지도록 읽습니다. 다만 교과서를 읽을 때 유의할 점이 있습니다. 학습 목표를 염두에 두고 읽는 것입니다. 모든 과목이 마찬가지입니다. 아이가 교과서를 이해했다는 말은 학습 목표에서 제시하는 문제를 해결할 수 있음을 의미합니다. 이후 여러 권의 문제집을 푸는 건 환영할 일이지요.

가정에서도 아이의 교과서를 한눈에 볼 수 있습니다. 바로 디지털 교과서를 통해서입니다. PC나 스마트폰 어플로도 무료로 이용할 수 있으니 적극적으로 활용해 보세요. 디지털 교과서를 보며 그날 배운 내용을 아이가 잘 이해하고 있는지 점검하는 것도 좋은 방법입니다.

| 디지털 교과서 |

디지털 교과서 웹사이트	인터넷 주소
에듀넷 티-클리어	dtbook.edunet.net

▪ 출처: 에듀넷 티-클리어 캡처

교과서 여러 번 읽기는 최고의 공부 방법입니다. 학년이 오르며 스스로 교과서를 읽고 내용을 파악하는 능력을 갖추어야 합니다. 문제집을 보기 전에 아이의 교과서에 먼저 관심을 두세요. 교과서를 정확하게 읽고 제대로 이해하는지 점검하세요.

다양한 책 읽기

수능 문제가 교과서 지문에서만 나온다면 좋겠지만 그렇지 않습니다. 초·중·고등학교를 거치며 배운 개념을 바탕으로 변형한 지문이 등장합니다. 국어 시험지에 과학, 경제, 철학을 주제로 한 글이 실립니다. 낯선 지문이 시험지 한 바닥을 가득 차지하기도 합니다. 분량도 분량이지만 내용이 생소합니다. 달달 외운 지식만으로는 이해할 수 없어요. 머리를 써야 해요. 짧은 시간에 자신이 아는 지식, 경험, 직관을 활용해 정답을 골라내야 합니다.

문해력과 사고력이 필요한 순간입니다. 자동으로 발휘되는 문해력과 사고력은 하루아침에 나오지 않습니다. 교과서를 제대로 공부하는 건 물론이고 독서가 필요합니다.

초중고 어느 시기도 독서가 중요하지 않은 때는 없습니다. '고등학교에 가면 책 읽을 시간이 없다.'라고 생각할 수 있지만, 공부 잘하는 고등학생들은 독서를 놓지 않습니다. 사고력 신장에 가장 효과적인 방법이 독서라는 사실을 알고 있습니다. 또 교과 지식을 배운 후 탐구하고 싶은 주제가 생기면 자연스럽게 관련 책을 찾아 읽습니다. 예컨대 '정치와 경제' 수업 시간에 '노동법'에 대해 배웠다면 여러 나라의 노동법 사례, 우리나라 노동법의 문제점을 담은 책을 읽고 보고서를 작성합니다. 이런 독서 이력은 학생부에 녹아들어 입시에서도 긍정적으로 작용합니다. 대학 입시 면접에서 단골 질문인 독서 관련 질문에도 논리적이고 자신 있게 답할 수 있습니다.

수능 공부를 따로 하지 않았는데 내신 공부만으로 수능 국어 점수를 잘 받는 아이들이 있습니다. 이 아이들의 배경엔 유년 시절부터 꾸준히 해 온 독서가 있습니다. 독서는 문자를 읽는 활동이자 동시에 사고를 동반하는 활동입니다. 글을 읽으면 뇌가 활성화됩니다. 머릿속에 그림을 그리고 생각을 체계화할 수 있습니다. 문장 간 의미를 파악하고 글쓴이의 의도를 해석하는 능력을 키울 수 있습니다.

독서는 또한 교과서 이해를 도와줍니다. 교과서 내용과 연계하여 독서를 하면 개념 이해가 어려웠던 내용도 맥락으로 이해가 쉬워집니다. 교과서 내용과 관련 없이 흥미 위주의 소설을 읽더라도 은연중에 쌓인 어휘력, 추론 능력, 사고력은 교과서를 읽을 때 이점으로 작용합니다.

단, 독서가 중요하다고 하여 학교 공부에 독서만 맹신하지는 마세요. 종일 책만 읽는 책벌레가 교과 성적은 중위권인 아이들이 있으니까요. 이 아이들은 독서 능력, 사고력은 높습니다만 교과 지식이 충분하지 않아요. 교과서를 따로 공부하지 않았기 때문입니다. 내신이나 수능은 교과서가 중심임을 기억하세요. 교과서 읽기 비중은 우선 높이고 독서를 병행해야 합니다.

독서는 사고력, 독해력, 문해력, 문제 해결력, 감수성, 창의성에 탁월한 효과를 발휘합니다. 아무리 강조해도 지나치지 않습니다. 학교에서는 책 읽기 시간이 국어, 영어, 수학처럼 따로 지정되어 있지 않지요. 그러니 가정에서 정성 들여 독서 습관을 잡아 주어야 합니다. 단편적인 지식 너머 통합적이고 유연한 사고를 위해 집에서 매일 규칙적으로 책 읽는 습관을 들여야 합니다.

다만 책 읽기는 교과를 위한 직접적인 공부는 아닙니다. 세상에는 수만 가지 책이 있지요. 아이가 흥미를 보이고 꾸준히 읽을 수 있는 책을 찾아보세요. 하루 이틀 하고 말 독서가 아니기에 아이의 취향이 중요합니다. 교과서와 연계된 책, 학년별 필독서 모두 좋습니다. 하지만 그보다 좋은 건 아이가 재미있게 읽을 수 있는 책입니다.

매일 밥을 먹듯 매일 독서를 해야 합니다. 공부하는 방법을 억지로 가르치지 않아도, 공부 동기를 주입하지 않아도 아이는 책 속에서 답을 찾을 수 있어요. 독서를 꾸준히 하며 배경 지식과 상식이 풍부한 아이로 자라게 됩니다. 낯선 글도 편안하게 읽을 수 있게 됩니다. 질리지 않게 날마다 독서를 이어가세요.

'어휘'로 개념 이해를 잡는다

중·고등학생들이 시험 보는 날 손에 들고 있는 것은 교과서가 아닌 요약 노트입니다. 교과서의 핵심 내용을 간추려 쓴 것이지요. 어휘 또는 문장만으로 몇 장에 걸쳐 깔끔하게 정리되어 있습니다. 학생들은 정리 노트를 보며 교과서 내용을 머릿속에 펼칩니다. 방대한 공부 내용도 자기 언어로 정리하며 체계화하고 요약할 수 있어야 해요. 마지막엔 핵심 어휘만 남을 수 있도록 말이지요.

어휘력으로 개념 이해 높이기

요즘 문해력과 함께 대두되는 이슈가 있습니다. 바로 아이들의 어휘력 부족입니다. 아이들이 신문, 책과 같은 인쇄 매체보다 영상을 자주 접하기에 그렇습니다. 짧은 영상에 노출된 아이들은 책이 재미

없습니다. 찬찬히 읽어야 하는데 자꾸 손가락은 스마트폰으로 향하지요. 글을 읽는 빈도수가 낮으니 어휘력에도 부정적인 영향을 미칩니다.

영상에도 물론 다양한 어휘가 등장합니다. 하지만 영상 속 어휘는 대부분 일상 언어이고 구어체입니다. 공공연히 은어나 줄임말도 쓰이지요. 책에서 만나는 어휘와는 거리가 있습니다. 반면 책 속 어휘는 일상에서 쓰는 언어와 달리 정제되어 있습니다. 개념이 명확한 어휘가 적혀 있습니다. 교과서에서 배우는 개념어를 아이가 좋아하는 영상물에서 발견하기는 어렵습니다.

어휘는 읽기 능력을 결정짓는 기본 요소이지요. 글은 낱말과 낱말의 합입니다. 각각의 어휘 뜻을 제대로 모르면 교과서 읽기가 어려워집니다. 어휘력이 낮은 아이들은 '개편하다'라는 낱말을 접하면 시청했던 유튜브 영상을 떠올리며 '아주 편하다'라고 해석합니다. 그러니 시험 문제에서도 엉뚱한 답을 고릅니다. 어휘력이 취약하면 학업 부진으로 이어집니다.

어휘력의 영향은 국어에만 제한되지 않습니다. 사회, 과학 등의 과목에서는 어휘 자체가 주요 학습 개념입니다. 예를 들어 수학에서 '공배수', '집합수', '순서수', '약수'라는 어휘를 모르면 개념조차 이해할 수 없습니다. 또 3학년부터 배우는 사회 과목에서는 하나의 단어가 추상적인 개념을 나타내는 개념어로 상당히 많이 나옵니다. '정당', '인플레이션', '관혼상제', '비정부', '삼권 분립' 등은 초등 사회에서 꼭 알아야 할 필수 개념어입니다. 다른 과목도 마찬가지이고요.

개념어뿐만 아니라 '정의', '포괄적', '중대한' 등 일반적으로 자주 쓰이는 단어조차 모르면 전반적인 수업 내용을 이해하기 어렵습니다. 교과서에 나오는 개념어를 파악하지 못하는 수준이라면 전 학년의 교과서를 들추면서라도 부족한 어휘력을 보충해야 합니다.

교과서 같은 학술적인 내용을 담은 책에 자주 등장하는 어휘로 책을 읽고 이해하며 사고를 정교화하기 위해 꼭 알아야 하는 단어를 '학습 도구어'라고 합니다. 공부를 잘하고 싶다면 각 학년에 맞는 학습 도구어를 반드시 알아야 합니다. 학습 도구어를 모르면 교과서의 내용을 이해하고 개념을 정의하는 데 어려움을 겪습니다. 학습 도구어는 학년이 오를수록 그 수가 많아지고 난도도 높아집니다.

글을 이해하려면 글을 구성하는 단어의 뜻을 알고 있어야 합니다. 교과서나 시험지에 제시된 단어 뜻을 정확히 알고 있는 아이가 그렇지 않은 아이보다 학업 성취도가 높은 건 당연하지요. 물론 아이들은 배우는 과정에 있기에 마주하는 글에 적힌 모든 단어의 뜻을 다 알지는 못합니다. 모르는 단어가 있더라도 맥락을 활용하여 뜻을 유추하지요. 이 또한 어휘력입니다.

교과서를 읽으며 모르는 단어를 그냥 지나치지 마세요. 취미로 읽는 책 속의 단어는 모두 알지 못해도 상관없지만, 교과서에 등장하는 단어는 완벽히 이해하고 있어야 합니다. 모르는 것에 의문을 품고 문맥을 통해 예상합니다. 틀려도 좋고 정확하지 않아도 됩니다. 이러한 과정을 거치면 문맥 간 유추 능력이 향상됩니다. 짐작 후에는 사전을 활용하여 정확한 뜻과 용례를 살펴봅니다. 어떤 맥락에서 활용되는지 예시를 통해 배운 단어는 오랫동안 기억에 남습니다.

독서와 어휘력은 상호보완 관계에 있습니다. 다독하면 풍부한 어휘를 접하며 어휘력은 좋아집니다. 처음 보는 단어라도 여러 번 반복하여 나오면 유추하기가 쉽고 저절로 기억이 되니까요.

어휘력이 좋은 아이들은 그날의 공부 내용을 두세 단어로 떠올립니다. 핵심이 되는 개념어를 중심으로 생각의 가지를 뻗으며 학습 내용을 정리하지요. 반대로 폭넓은 학습 내용을 하나의 단어로 요점 정리하기도 합니다. 이렇듯 어휘력은 개념을 중심으로 학습 내용을 이해하는 데 큰 도움이 됩니다.

한자 공부로 어휘력 높이기

아이들이 어휘 습득에 더 어려움을 느끼는 이유 중 하나는 한자어에 있습니다. 우리말 어휘 중 한자어가 70%를 차지합니다. 앞서 예시를 든 '개편改編', '약수約數', '중대重大', '삼권 분립三權分立'은 한자어입니다. 한자를 배운 부모 세대에게는 쉬운 말이지만, 한자가 익숙하지 않은 아이들에게는 응당 어렵게 다가옵니다. 이런 한자어가 교과서에서 주요 핵심 개념어로 쓰입니다.

초등학교 정규 수업 시간엔 한자가 없지만, 가정에서 아이들과 함께 한자를 공부하길 권합니다. '삼권 분립三權分立'의 한자를 이해하고 '세 개의 권력이 나누어진다.'를 유추할 수 있는 정도면 괜찮습니다. 그러고 나면 '국가 권력을 입법, 사법, 행정으로 나누어 서로 견제함으로써 권력의 남용을 막는 정치 제도'라는 개념을 훨씬 쉽게 이해할 겁니다.

한자 공부는 우리말 어휘력을 보조하는 역할을 합니다. 개념을 한자로 풀어 생각하는 습관을 들이면 '나눌 분分, 설 립立, 고칠 개改' 등의 상용한자를 자주 마주하게 됩니다. 그러면 처음 배우는 낱말도 이전 한자 경험을 통해 쉽게 뜻을 예측할 수 있습니다.

처음 배울 때 한 글자 한 글자씩 한자 뜻이 모여 하나의 낱말이 정의되는 과정을 설명해 주세요. 한자를 한 자씩 외우기보다 맥락 속에서 한자를 이해하는 것이 효과적인 한자 공부입니다. 실제 한자가 우리말에서 어떻게 쓰이는지 알기에 어휘력 향상에 더욱 좋습니다.

아이가 한자를 좋아해서 급수별 한자 능력 시험을 치른다면 성취감에 도움이 됩니다. 하지만 굳이 추천하지는 않습니다. 한자 공부가 어휘력 향상에 도움이 된다고 하여 매일 수십 개씩 한자를 쓰고 부수까지 외울 필요는 없습니다. 훈과 음만 알고 있어도 됩니다. 한자를 쓰지 못해도 괜찮습니다. 한자는 암기보다 노출이라고 생각하세요.

'생각'은 공부를 다듬는다

고등학생이 되어도 '생각' 없는 공부를 하는 아이들이 있습니다. 무작정 외우려 드는 공부로는 지식의 확장이 어렵습니다. 앞서 '초등 공부의 정석' 방향을 '사고력'에 두었습니다. 사고력을 키우기 위해서는 공부에 생각을 담아야 합니다. 수업 시간에도, 책을 읽을 때도, 실험을 할 때도, 과제를 할 때도, 문제집을 풀 때도 '생각'이 필요합니다. 공부의 트렌드가 바뀌었습니다. '사고력' 없는 공부는 수박 겉핥기 공부라는 걸 기억하세요.

깊이 생각하는 시간 갖기

아이들이 어릴 때는 질문을 참 자주 하지요. 세상이 궁금합니다. '왜요?', '뭐예요?'를 입에 달고 살아요. 아이들은 본능적으로 세상에 호기심이 많습니다. 배움에 열린 마음입니다. 어른의 대답에서 일상에 필요한 지식을 얻어요. 관심사가 생기면 책을 찾아보며 관련 지식을 사냥하기도 합니다. 생각의 꼬리에 꼬리를 물며 세상을 알아갑니다.

'공룡은 무엇일까?'에서 시작했던 호기심은 누가 시키지 않아도 공룡 박사를 만듭니다. 시작은 공룡 그림만 있던 그림책이었을 거예요. 호기심에서 시작한 아이의 생각은 연쇄적으로 이어집니다. 제 나이에 어울리지 않을 법한 글밥 많은 공룡 책도 용기 있게 읽습니다. 수많은 공룡의 이름을 외웁니다. 공룡의 생태를 이해하고 부모에게 설명하기도 합니다. 힘을 들여 외우지 않아도, 머릿속에 공룡 정보가 가득합니다.

호기심 많던 아이들은 학교 입학과 동시에 생각의 기회를 잃습니다. 고학년으로 갈수록 시간에 쫓겨서 생각할 겨를이 없어요. 빨리 문제집을 풀고 서둘러 채점을 합니다. 틀린 문제를 눈으로 훑으며 다시 점검합니다. 왜 틀렸는지 깊이 생각하지 않습니다. 쌓여있는 공부와 숙제를 하느라 생각할 시간이 없습니다. 이런 공부 습관은 중 · 고등학교에 가서도 잘 바뀌지 않습니다. 암기와 문제 풀이식 공부로 이어지기 때문입니다.

초등 시기는 중·고등학교 시기보다 방과 후 시간이 비교적 여유롭습니다. 이 시기에 아이들이 충분히 생각할 시간을 주어야 합니다.

어려운 수학 문제를 두고 1시간을 끙끙거려도 좋습니다. 아이가 모르는 개념이 있다면 바로 알려 주지 말고 다양한 매체를 활용하여 스스로 찾을 수 있도록 합니다. 자신이 직접 탐구하고 고민한 지식은 잘 잊어버리지 않습니다. 지식의 범위가 넓어질 뿐만 아니라 심도 있게 공부할 수 있습니다.

고민만 하고 답을 못 찾을 수도 있습니다. 생각하기를 포기하고 바로 답안지를 펼치고 싶은 생각이 들 수도 있어요. 이럴 땐 옆에 있는 부모의 피드백이 중요합니다. '이렇게 생각해 볼까?', '다른 방법은 없을까?'라고 계속하여 힌트를 주면 아이는 사고의 스위치를 다시 켭니다.

생각의 과정은 온전히 아이의 몫입니다. 능동적인 공부가 저절로 됩니다. 문제 해결을 위해 스스로 복합적으로 사고하게 됩니다. 이미 알고 있는 지식과 새롭게 접하는 정보를 끊임없이 융합시킵니다. 문제를 해결하는 과정에서 효과적인 방법을 탐구하게 되지요. 결과적으로 문제를 해결하지 못하더라도 고민했던 과정이 켜켜이 쌓여 아이의 사고력이 높아집니다. 당장 눈에 보이는 결과가 없다고 시간을 헛되이 쓴 게 아닙니다. 아이는 생각하고 생각했으니까요. 생각하는 과정과 노력한 시간의 가치를 무시할 수 없습니다. 아이는 그 과정과 시간을 통해 문제를 입체적으로 해결하는 능력을 키우게 됩니다.

중 · 고등학교에서 우등생의 개념이 바뀐 지 오래입니다. 객관식 문제를 푸는 지필 고사도 중요하지만, 수행 평가를 무시할 수 없거든요. 수행 평가에서는 토론, 보고서 작성, 팀 프로젝트, 포트폴리오 작업, 모둠 활동 등이 활발하게 이루어집니다. 자료 조사하기, 자신의 견해를 제시하며 글로 쓰기, 논리적인 근거를 들어 주장하고 토론하기와 같은 주요 활동에서는 생각이 탄탄한 아이들이 우수한 성적을 받습니다. 수능에서 최상위 등급을 가르는 한 끗 차이도 바로 사고력에 있습니다.

주입식 공부의 폐해를 누구보다 부모 세대가 경험했습니다. 아이들에겐 남에게 받아 주입하는 지식이 아닌 자신이 꾸리는 지식이 유용함을 가르쳐야 합니다. 단순히 문제를 많이 푼다고 지식이 되지 않습니다. 생각하는 공부는 암기가 아닌 이해에 초점을 둡니다. 익숙하지 않은 문제도 해결해 내는 역량을 갖게 합니다.

질문을 생활화하기

전 세계 인구의 0.2%를 차지하며 노벨상 수상자를 가장 많이 배출한 민족이 있습니다. 바로 유대인입니다. 유대인이 세계 정치, 경제, 사회, 과학 분야에서 활약하는 바탕에는 '하브루타'라는 교육 방식이 있습니다. 간단히 설명하자면, 하브루타는 짝을 지어 서로 질문하고, 대답하고, 토론하고, 논쟁하는 활동입니다. 유대인은 하브루타를 통해 진리를 찾아갑니다. 유대인에게 질문은 일상이에요. 유대인

가정에서는 '왜?'라는 말이 매우 자연스럽습니다. 유대인의 부모는 학교에 다녀온 아이에게 '오늘 무엇을 공부했는지'가 아니라 '오늘 무슨 질문을 했는지' 묻습니다. 질문이 곧 공부라고 생각합니다.

유대인의 전통 교육 방식은 가정, 학교에서 활발히 이루어집니다. 가정에서는 질문을 중심으로 대화가 끊이지 않습니다. 학교에서는 선생님과 아이들 사이에 논쟁이 오가기도 합니다. 도서관은 시끌시끌해요. 책을 사이에 두고 친구들 간에 토론이 왕성하기 때문이에요. 좋은 질문을 통해 아이 스스로 답을 찾아갑니다. 생각하는 힘도 함께 자랍니다.

멀리 유대인의 삶을 보지 않더라도, 교실 안에서 공부 잘하는 학생들은 질문을 잘합니다. 수업 중 배운 내용이 이해되지 않을 때 스스로 이해해 보려고 노력합니다. 끝끝내 실마리를 풀지 못할 때는 선생님에게 스스럼없이 묻습니다. 자신이 모르는 부분을 정확히 알고 있기에 질문할 수 있습니다. 선생님에게 답을 들은 후에는 '이해가 되었나?'라고 스스로 자문합니다.

공부를 그럭저럭하는 아이 중에도 질문이 많은 아이가 있습니다. 우등생과는 확연히 다른 부분이 있어요. 이 아이들이 선생님에게 질문하는 속내는 답을 내놓으라는 것입니다. 스스로 생각도 해보지 않은 채 해결 방안을 요구하는 것이죠. 이는 수학 문제를 풀다가 안 풀리면 바로 해설 답안지를 보고 답만 체크하는 것과 같습니다. 생각이 귀찮아서 답을 요구하는 질문입니다.

공부 잘하는 학생들의 질문 태도는 하루아침에 완성되지 않습니다. 무엇보다 초등 시절에 아이의 질문을 가로막지 않고 들어 주는 가정 환경이 중요합니다. 허용적인 분위기에서 아이가 자유롭게 질문할 수 있어야 합니다. 아이가 질문할 땐 단답형으로 답 해주기보다 생각할 거리를 던져주는 것이 중요합니다. '너는 어떻게 생각해?'라고 되물으며 아이의 사고를 자극하는 겁니다. 대화 속에서 아이가 생각의 꼬리를 잡고 지식을 탐구할 수 있도록 말이지요. 생각에 생각이 더해져 지적 성장이 이루어지고 질문의 질도 좋아집니다.

수업 시간은 멍한 상태로 선생님 말씀을 흘려듣는 시간이 아니라 질문을 품는 시간이어야 합니다. 왜 그렇게 되는지, 내가 잘 이해하고 있는지를 아이 스스로 끊임없이 물으며 생각해야 해요. 혼자 공부할 때에도 생소한 개념에 대한 설명이 나오면 다각도로 살피면서 왜 그러한지 고민해야 합니다. 책을 읽을 때도 마찬가지로 저자의 의도, 주인공의 생각 등을 질문하며 읽는 습관이 생각을 키우는 길입니다.

당연한 일상에도 '왜'라는 궁금증을 품을 수 있어야 해요. '왜 사과는 땅으로 떨어졌을까?'라는 근원적 질문에서 시작하여 뉴턴은 중력을 발견했습니다. 아이들이 처음 접하는 지식, 정보, 개념에 당연한 것은 없지요. '왜'라는 물음을 품고 공부에 임하면 적극적으로 생각하게 됩니다. 맹목적으로 따라가는 공부가 아닌 스스로 지식을 만들어 나가는 제대로 된 공부가 되는 것이지요.

학창 시절에 아이들은 왜 공부해야 하는지 모릅니다. 부모님에게 잘 보이고 싶어서, 부모님이 하라고 하니까 공부하는 아이들이 다수입니다. 진정한 공부의 목적을 찾기 위해서라도 '왜'라는 물음은 필요합니다. '나는 왜 공부하는가?'라는 자문이 공부의 이유를 찾게 합니다. 자신을 성찰하고 공부하게 하는 동력을 발견하기도 하지요. 주체적으로 사고하고 무엇이든 스스로 하는 사람으로 살게 합니다.

'쓰기'로 공부를 완성한다

학교 공부의 큰 맥락은 읽기와 쓰기입니다. 읽기로 지식을 습득하고 쓰기로 자기 생각을 표현합니다. 수업 활동도 쓰기에 집중되어 있어요. 수업 과정을 살펴보면 빈칸 채우기, 문제 풀기, 자기 생각 쓰기, 주요 내용 찾기, 학습 내용 요약하기 등 쓰기를 활용하지 않는 과목이 없습니다. 수업 중 필기하기부터 서술형·논술형 평가 대비를 위해서도 쓰기 실력이 뒷받침되어야 합니다.

쓰기로 지식을 점검하기

직언하자면, 우수한 학업 성취는 글쓰기로 증명됩니다. 중·고등학교 내신은 지필 평가 40~60%, 수행 평가 40~60%입니다. 지필 평가는 학교에 따라 객관식 문항과 서·논술형 평가를 함께 출제할 수 있습니다. 수행 평가에는 서·논술형 평가가 포함됩니다. 서·논술형 평가가 아니더라도 각종 보고서 쓰기, 발표 자료·포트폴리오 만들기 등 다양한 쓰기 활동이 수반됩니다. 객관식 문제 풀이만 잘해서는 최종 성적에서 좋은 성과를 얻을 수 없습니다.

고등학생들의 글쓰기 실력은 천차만별입니다. 초등 때에 비슷했던 수준의 아이들이 학년이 올라가며 글쓰기에서 점점 실력 차를 보입니다. 공부를 잘하는 아이들은 글쓰기에도 탁월한 능력을 보입니다. 창의성이 돋보이는 소설을 쓴다는 의미는 아니에요. 학교 평가에 필요한 쓰기에 두각을 드러냅니다.

학교에서 필요한 글쓰기는 보통 문제 해결의 과정입니다. 유려한 문체가 필요한 것은 아니지요. 선생님이 요구하는 답을 써야 좋은 글쓰기입니다. 그러려면 먼저 지문을 읽고 올바르게 독해해야 합니다. 주어진 조건을 충족하며 자연스럽게 글을 써야 해요. 분량도 맞추어야 하고요. 주제에 맞게 사실과 자기 생각을 논리적으로 풀어내는 기술이 필수입니다.

더불어 이 아이들은 압축하는 쓰기에도 능합니다. 수업 시간에는 선생님의 말씀을 들으며 필기를 잘합니다. 자료 조사한 내용도 구체적으로 잘 정리합니다. 스스로 공부하며 학습 내용을 체계화합니다. 큰 개념이 무엇이고 세부 사항이 무엇인지 상위와 하위 범주의 구분을 잘 하고 있어요. 핵심 내용을 정확하게 짚어내며 학습 내용을 보기 쉽게 압축하여 쓰는 능력이 있습니다.

초등학교 입학과 동시에 쓰기 활동이 본격적으로 시작되지요. 아이들은 선생님이 말씀하신 내용을 알림장에 적습니다. 정확하게 듣고 쓰는 능력이 필요한 일입니다. 초등 교과서에도 쓰기 활동이 계속 나와요. 모든 과목에 학습 내용을 잘 익히고 있는지 질문하는 부분이 있습니다. 아이들은 교과서에 자기 생각을 글로 써야 합니다.

국어는 물론이고 수학의 연산을 배울 때도 쓰기 활동은 이어집니다. 짧은 글쓰기부터 긴 글쓰기, 베껴 쓰기부터 창작하여 쓰기까지 다양한 쓰기가 매일 이뤄지고 있어요. 중·고등학교로 이어지는 서·논술형 평가가 초등 교실에서부터 시작하는 셈입니다.

수업 중 필기도 그렇지요. 선생님의 설명 중에 필요한 내용을 자기만의 언어로 적어야 합니다. 쓰기 능력이 충분하지 못하면 원활한 수업 참여가 어렵습니다.

쓰기는 학교 공부에서 필수불가결한 활동입니다. 이러한 쓰기는 복합적인 사고의 과정으로 이루어집니다. 지식, 경험, 생각이 어우러져 문자로 표현되는 지적 활동이 바로 글쓰기지요. 쓰기는 생각을 정리하고 의미를 구성하는 단계를 거칩니다. 학생들이 서술형 평가에서 논리적으로 생각을 풀어 쓰지 못하는 이유는 문장 구성 능력이 없어서라기보다 질문이 요구하는 학습 내용을 정확히 알고 있지 못하기 때문입니다.

아는 만큼 쓸 수 있습니다. 눈으로 읽은 지식은 알고 있다고 오해하기 쉽습니다. 평가에 도움이 되기 위해서는 알고 있는 지식을 끄집어내 봐야 합니다. 내 손을 거쳐 텍스트로 만들 수 있어야 제대로 아는 것입니다. 쓰기의 중요성을 이해한다면, 초등 시기부터 쓰기 역량을 차곡차곡 쌓을 수 있도록 도와주세요. 쓰기 능력이 학교 공부에 자신감을 주고 스스로 공부하는 힘을 키워 줄 것입니다.

학교 공부를 기준으로 쓰기

서울대학교는 전공을 불문하고 신입생을 대상으로 글쓰기 능력 평가를 실시합니다. 사회과학 전공뿐 아니라 자연과학, 예체능 전공도 예외를 두지 않습니다. 신입생은 글쓰기 능력 평가 이후 필수 과목인 '대학 글쓰기1', '대학 글쓰기2'를 통해 학술 글쓰기의 기초를 배웁니다. 세계 명문 대학인 하버드대 역시 글쓰기 교육을 강조하는 것으로 유명하지요. 하버드대 졸업생들은 학교에서 배운 것 중 가장 유용한 과정으로 글쓰기를 꼽습니다. 유수의 다른 명문 대학들도 글쓰기 수업과 글쓰기 역량을 매우 중요하게 여기고 있습니다.

사회생활에서도 글쓰기는 일상입니다. 업무를 위한 보고서 작성, 이메일 주고받기, 발표 자료 만들기 등 텍스트를 통해 업무를 진행합니다. 사회의 리더들도 예외는 아닙니다. 대통령, 기업 경영인들의 연설문은 그들의 글쓰기 자질을 드러냅니다.

글쓰기 능력은 초·중·고를 거쳐 대학생이 되어서도, 나아가 사회인이 되어서도 갖추어야 할 기본 역량으로 인식되고 있습니다. 글쓰기는 학창 시절에 잠깐 하는 공부가 아닙니다. 평생 가지고 가야 할 기본 소양입니다. 기본 소양을 어떻게 갖추느냐에 따라 입시는 물론 사회생활 수준까지 달라집니다.

이토록 중요한 글쓰기지만, 아이들은 글을 쓸 시간이 없습니다. 물론 교육 과정 중 국어 과목에 '쓰기' 영역이 있습니다. 쓰기 영역을 통해 학교에서 경험 글, 주장하는 글, 설명하는 글, 비판하는 글 등 다양한 글쓰기를 배웁니다. 하지만 독서와 마찬가지로 학교에서 하는 수업만으로는 쓰기 실력을 키우기 위한 연습이 부족합니다. 발차기를 많이 해 봐야 수영을 잘하고, 그림도 그릴수록 실력이 느는 것처럼 글도 쓰면 쓸수록 잘 씁니다.

"아이가 좀처럼 쓰려고 하질 않아요."라고 생각하실 수도 있습니다. 쓰기는 원래 어렵습니다. 쓰기는 손만 움직여서 끝나는 활동이 아닙니다. 뇌를 써야 합니다. 지식을 체계화하여 문자로 표현하는 종합적인 과정을 한꺼번에 해야 하는 노동입니다. 아이들이 말을 배우고 글을 읽고 글자를 쓰기까지도 오랜 시간이 걸렸습니다. 글씨를 쓴다고 바로 글을 쓸 수는 없습니다. 생각이 담긴 글쓰기를 하기까지도 시간이 오래 걸립니다. 복합적인 생각이 질서를 잡을 때까지 기다려야 합니다. 처음부터 쓰기를 잘하는 아이는 없습니다.

쓰기가 익숙하지 않은 아이들은 쓰는 일이 점점 두려워집니다. 학교에서 배운 쓰기도 자기 것으로 만들지 못한 채 다음 학년으로 올라간다면 더 힘들어져요. 쓰기 부진은 공부에도 영향을 줍니다. 학업 성취도가 점점 떨어집니다. 글쓰기의 중요성을 일찍부터 알고 아이를 논술 학원에 보내는 부모님들도 있지요. 논술 학원도 나쁘지 않은 방법입니다만 집에서도 가능합니다. 가정에서 관심을 두고 꾸준히 연습한다면 글쓰기 실력을 향상할 수 있습니다. 학업 성취도도 높일 수 있어요. 학교 공부 진도에 맞게 집에서 꾸준히 쓰기 연습을 하는 것만으로 유명 논술 학원에 다니는 것보다 더 우수한 효과를 보장할 수 있습니다.

학교 공부와 쓰기는 별개가 아닌 하나라고 생각하세요. 글쓰기의 성취 목표는 아이의 교과서에 담겨 있습니다. 국어, 영어, 수학, 사회, 과학 등 각 과목 교과서에서 요구하는 글쓰기를 잘 할 수 있으면 됩니다. 여기에 목표를 두세요.

예를 들어 국어 시간에 독후감 쓰기를 배웠다면 가정에서 복습하며 독후감을 씁니다. 수학 시간에 문제 풀이 쓰는 법을 배웠다면 그 내용을 바탕으로 가정에서 한 번 더 써 보며 정리하는 것이지요. 수시로 학교에서 배운 학습 내용을 직접 써 보며 지식을 점검하고 글쓰기를 연습합니다.

학교 공부가 늘 기준이라는 진리는 변하지 않습니다. 그 안에서 논술이든 토론이든 다양한 활동을 접목하는 겁니다. 지금 글쓰기를 하는 이유 또한 학교 공부입니다. 대단한 작가나 기자로 키우겠다는 목적이 아닙니다. 입시에 도움이 되는 글쓰기를 위해서는 학교 공부에서 요구하는 쓰기를 가정에서 지속하여 연습하는 것만 해도 충분합니다. 학교 공부에 필요한 글쓰기만 잘해도 후에 사회에서 필요한 쓰기 역량의 기반을 갖추게 됩니다.

| 3장 |

학년이 오를수록 성적도 오르는 과목별 공부 전략

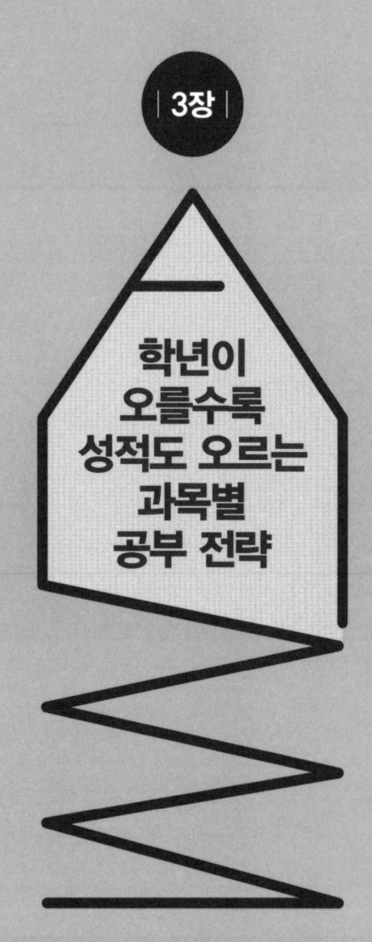

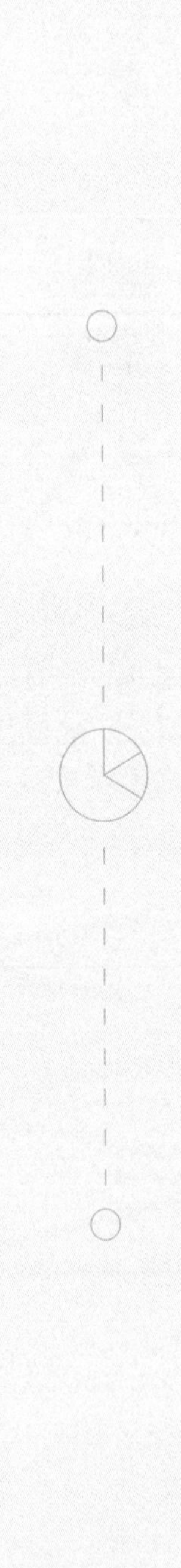

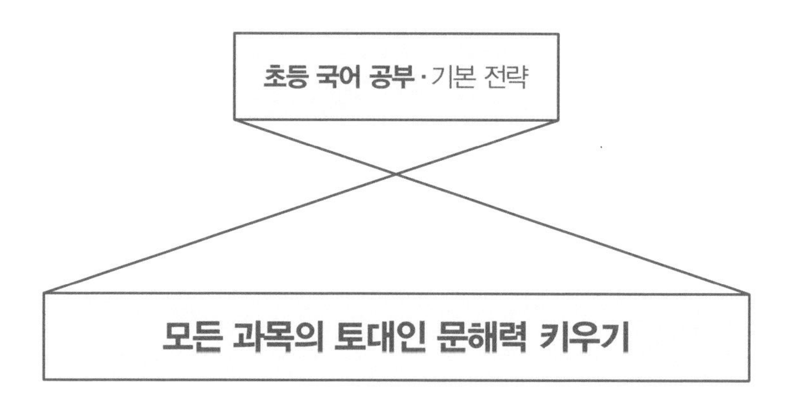

'수능, 국어가 당락 가른다.'

대학 입시에서 수학이 당락을 가른다는 말은 옛말이 되었습니다. 요즘은 수학뿐 아니라 국어가 입시에 큰 변수로 작용합니다. 변별력을 위한 고난도 문제가 항상 등장하고, 한두 문제 차이로 대학 이름이 달라지기도 합니다.

대다수 고등학생이 영어·수학만이 아니라 국어 학원에도 다닙니다. 국어 과목은 우리말이니 자연스럽게 잘할 거라는 생각에 중학교 때까지만 해도 영어·수학에 밀려 뒷전이었습니다. 고등학생이 되어 발등에 불이 떨어지자 유명하다는 국어 학원을 찾아 문을 두드립니다. 안타깝게도 독해력, 비판적 사고력, 문제 해결력을 키우기에는 시간이 부족합니다. 고등학교에서는 다른 과목도 부지런히 챙겨야 하기에 국어 역량을 키우기에 집중할 시간이 충분치 않습니다.

국어가 우리말을 배우는 과목인 것은 맞지만, 그렇다고 하여 누구나 높은 점수를 받을 수 있는 쉬운 과목은 아닙니다. 다른 교과처럼 공부해야 좋은 성과를 얻을 수 있습니다. 국어의 하위 영역은 '듣기 · 말하기, 읽기, 쓰기, 문법, 문학'입니다. 각 영역의 기능과 공부 태도를 익혀야 학습 목표에 도달할 수 있습니다.

초등 국어는 궁극적으로 다양한 담화나 글 작품을 정확하고 비판적으로 이해하는 능력을 기르는 데 목표가 있습니다. 이와 더불어 듣기·말하기, 읽기, 쓰기 활동 및 문법 탐구와 문학 향유에 도움이 되는 기본 지식을 기르게 됩니다.

국어는 의사소통의 도구로 타인과 교류하며 세계를 이해하는 과목이기도 하지요. 또 과목 특성상 다른 교과 학습의 토대가 되기도 합니다. 모든 과목의 학습 내용이 국어를 통해 전달되기에 국어 능력이 전체 학업 역량에 큰 영향을 미칩니다. 초 1부터 고 3까지 '수학도 국어, 과학도 국어'라는 말은 과언이 아닙니다. 국어 능력이 부족하면 수학 문제를 풀어내기도, 과학 실험 절차를 이해하기도 어렵습니다.

그렇다고 문제집에만 매달리는 공부법은 아직 아닙니다. 초등 국어는 무엇보다 '읽기'에 힘써야 합니다. 교과서 읽기가 기본입니다.

독서도 필수입니다. 폭넓은 독서를 통해 배경지식을 쌓고 읽기 능력을 차근차근 늘리겠다고 생각하세요. 독서 역량은 당장 점수를 매기는 능력은 아니나 이후 생각하는 공부에 근육을 붙여주는 힘이 됩니다. 독서 잠재력을 믿고 초등 시기에는 읽기에 집중해야 합니다. 문제 푸는 요령보다 읽기에 집중한 공부가 아이의 어휘력, 독해력, 사고력을 키우는 데 효과적입니다. 읽기가 선행되어야 문해력이 길러집니다. 이후 우수한 쓰기 역량으로도 이어집니다.

빨리 가는 길보다 바르게 가는 길을 가르쳐 주는 것이 초등 공부입니다. 공부의 토대가 되는 국어, 특히 '읽기' 습관을 초등 시기부터 제대로 잡아 주세요. 아이가 생각하며 읽는 습관이 몸에 배도록 이끌어 주세요.

| 학년이 오를수록 성적도 오르는 초등 국어 공부 전략 |

읽기	어휘	생각하기	쓰기
• 국어 교과서 읽기 • 독서 습관 잡기	• 국어사전 활용 • 일상 어휘력 • 어휘·독해 문제집	• 글쓴이의 의도 파악하기 • 이미지로 떠올리기 • 삶과 연결하기	• 초 1의 글자 쓰기 • 일기 쓰기 • 독서 감상문 쓰기 • 논술 쓰기 • 반듯하게 글자 쓰기

| 2015 개정 교육 과정 초등 국어 내용 체계 및 내용 요소 |

국어	내용 요소		
학년 영역	1~2학년	3~4학년	5~6학년
듣기 말하기	• 인사말 주고받기 • 일의 순서 이해하기 • 대화하기(감정 표현) • 자신 있게 말하기 • 바른 자세로 말하기 • 주의 집중하며 듣기 • 바르고 고운 말 사용하기	• 대화하기(경험 나누기, 대화의 즐거움) • 회의하기(의견 교환) • 인과 관계 이해하기 • 효과적으로 표현하기(표정·몸짓·말투) • 요약하며 듣기 • 대화 예절 지키기	• 구어 의사소통 • 토의하기(의견 조정) • 토론하기(절차와 규칙, 근거와 주장) • 발표할 내용 정리하기 • 발표하기(매체 활용) • 추론하며 듣기 • 공감하며 듣는 태도 갖기
읽기	• 정확하게 소리 내어 읽기 • 알맞게 띄어 읽기 • 주요 내용 확인하기 • 인물의 처지와 마음 짐작하기 • 읽기에 흥미 갖기	• 중심 생각 파악하기 • 대강의 내용 간추리기 • 짐작하기(낱말의 의미, 생략된 내용) • 사실과 의견 구별하기 • 읽기 경험을 나누는 태도 갖기	• 의미 구성 과정으로서의 읽기 • 요약하기(글의 구조) • 주장과 주제 파악하기 • 내용의 타당성 평가하기 • 표현의 적절성 평가하기 • 다양한 읽기 방법 적용하기(매체) • 읽기 습관 점검하기 • 스스로 글을 찾아 읽기
쓰기	• 글자 정확하게 쓰기 • 글씨 바르게 쓰기 • 완성된 문장 쓰기 • 짧은 글 쓰기 • 경험에 대한 생각이나 느낌 쓰기 • 쓰기에 흥미 갖기	• 문단 쓰기(중심 문장과 뒷받침 문장 이해하기) • 시간의 흐름에 따라 쓰기 • 의견이 드러나는 글 쓰기 • 마음을 표현하는 글 쓰기 • 쓰기에 자신감 갖기(글을 적극적으로 나누는 태도 갖기)	• 의미 구성으로서의 쓰기 • 목적과 주제에 따라 내용 선정하기(글의 목적, 매체 활용) • 설명 대상의 특성에 맞게 쓰기 • 근거를 들어 주장하는 글 쓰기 • 체험에 대한 감상 쓰기 • 독자를 존중·배려하며 쓰기

국어	내용 요소		
학년 / 영역	1~2학년	3~4학년	5~6학년
문법	• 한글 자모의 이름과 소릿값 알기 • 소리와 표기의 관계 이해하기 • 문장 부호 바르게 사용하기 • 글자·낱말·문장에 흥미 갖기	• 낱말 분류하기(기본형, 모양이 바뀌는 낱말, 모양이 바뀌지 않는 낱말) • 낱말의 의미 관계 이해하기(비슷한 말, 반대말, 상·하위어) • 기본적인 문장의 짜임 알기 • 높임법 바르게 사용하기 • 한글을 소중히 여기는 태도 갖기	• 언어의 기능(사고와 의사소통의 수단) • 낱말 확장 방법 알기(합성, 파생) • 낱말의 의미 파악하기(문맥적 의미, 다의어, 동음이의어) • 관용 표현 활용하기 • 문장 성분 이해하기 • 호응 관계 이해하기 • 국어를 바르게 사용하기
문학	• 작품 낭독·낭송하기(느낌과 분위기) • 인물의 모습·행동·마음 상상하기 • 말의 재미 느끼기 • 생각·느낌·경험을 표현하기 • 문학에 흥미 갖기	• 감각적 표현의 효과 느끼기 • 인물·사건·배경 이해하기 • 이야기의 흐름 파악하기 • 이야기 이어서 구성하기 • 작품에 대한 생각과 느낌 표현하기 • 작품을 즐겨 읽기	• 문학의 의의(가치 있는 내용, 아름다운 표현) • 작품 속 세계와 현실 세계 비교 하기 • 비유적 표현 • 이야기나 극으로 표현하기 • 작품을 매개로 하여 소통하기 • 작품에서 발견한 가치 내면화하기

▪ 출처: 초등 2015 개정 교육 과정

국어 교과서 읽기

교과서를 보면 무엇을 공부해야 할지 선명히 보입니다. 교과서 읽기를 통해 아이의 학습을 점검하세요. 국어 교과서는 학년마다 하위 영역인 '듣기 · 말하기, 읽기, 쓰기, 문법, 문학'이 골고루 들어있어요. 각 단원은 크게 '단원을 시작하며 – 준비 – 기본 – 실천 – 정리'의 과정을 거칩니다. 수업 시간에는 지문을 함께 읽고 선생님의 설명을 듣습니다. 익힌 수업 내용을 바탕으로 각자 빈칸을 채우며 공부합니다.

| 초등 국어 교과서 단원 구성 |

1	단원을 시작하며	단원 학습 목표를 읽고 단원에서 무엇을 어떻게 공부할지 학습 계획을 세웁니다.
2	준비 학습	단원에서 배울 내용과 이미 아는 내용을 관련지어 학습을 준비합니다.
3	기본 학습	단원에서 배워야 할 내용을 익히고 연습합니다.
4	실천 학습	단원에서 배운 내용을 새로운 상황에 적용하고, 단원 학습 내용을 정리합니다.

가정에서는 수업 중 아이가 교과서의 빈칸을 잘 채웠는지 확인합니다. 바르게 채웠어도 교과서를 다시 한번 읽어 보며 복습합니다. 수업 중 빈칸을 채우지 못했다면 아이가 수업에 어려움을 느낀다는 의미입니다. 이럴 때는 여러 번 교과서를 정독해야 합니다.

교과서를 읽을 때는 '단원을 시작하며'에 있는 학습 목표를 먼저 읽습니다. 학습 목표는 한 단원을 끝낼 때 학습 목표에 도달할 수 있도록 안내해 주는 이정표입니다. 학습 목표와 함께 '무엇을 배울까요'에 쓰여 있는 학습 내용을 파악한 다음 '준비, 기본, 실천'의 순서대로 꼼꼼하게 읽습니다.

국어 교과서를 읽을 때는 '모든 걸 외워야겠다.'라는 생각보다 '교과서의 내용을 명확하게 이해하겠다.'에 초점을 두세요. 글로 쓰지 않고 말로 설명해도 괜찮습니다. 읽고 나서도 교과서의 문제가 풀리지 않는다면 학습 내용을 점검하고 답을 유추할 수 있도록 질문을 던져 주세요. 아이의 경험과 연결 지어 설명한다면 내용 파악이 쉬워집니다.

초 1~2학년 시기에는 교과서의 지문 낭독하기를 추천합니다. 저학년 시기 낭독은 아직 눈으로 읽기에 익숙하지 않은 아이들에게 적합한 활동입니다. 꼼꼼히 읽는 습관을 들이는 데에도 도움이 됩니다. 한 학년씩 올라가면서도 문제에 답을 잘 적지 못한다면 낭독을 통해 정독을 경험하게 해 주세요.

독서 습관 잡기

교과서는 최고의 읽기 교재이지만 읽기 실력을 높이는 최적의 책은 아닙니다. 사고력, 문해력, 독해력을 위해서는 별도의 독서를 해야 합니다. 교과서를 읽는 시간이 하루 10분이라면 일반 독서는 매일 30분 이상 하길 권합니다.

어떤 책을 읽힐지도 고민되시죠? 각 학년의 국어 교과서 맨 뒤편을 보세요. 단원별로 '실린 작품' 목록이 친절하게 소개되어 있습니다. 그림책, 동화책, 비평문 등 다양한 글의 출처가 적혀있어요. 새 학기가 시작되기 전에 '실린 작품'을 읽으면 그 자체가 예습이 됩니다. 독서 실력도 기를 수 있고요. 방학 동안 '실린 작품' 읽기 계획을 세워 보세요.

'실린 작품'이 검증된 책이긴 하지만, 아이가 흔쾌히 읽겠다고 하지 않을 수 있습니다. 괜찮습니다. '실린 작품'을 모두 읽을 필요는 없습니다. 아이에게 최고의 책은 계속 보고 싶은 책입니다. 독서는 다음 책장으로 부드럽게 넘어가는 책 읽기여야 합니다.

자꾸만 읽고 싶은 책을 찾기 위해서는 아이의 흥미를 먼저 탐색하세요. 탐정 이야기, 학교 일상 이야기, 판타지 이야기, 무서운 이야기, 동식물 이야기 등 아이가 좋아하는 분야를 공략하세요. 아이와 함께 도서관에 가 보세요. 책의 세계는 무궁무진합니다. 아이의 취향에 맞는 책을 계속해서 제공한다면 아이는 책을 재미있게 읽을 것입니다.

관심사가 닿는 책이 생긴다면 아이는 시간 가는 줄 모르고 책을 읽을 확률이 높습니다. 아이가 서점이나 도서관에서 직접 골라도 괜찮고요. 아이가 고른 책이 마음에 들지 않더라도 아이를 믿어 보세요. 내적 동기가 발현되어 읽는 책은 독서 효과가 배가됩니다.

아이가 선택한 책이 만화책일 수도 있습니다. 요즘은 과목별 학습 만화책이 즐비하지요. 웃기기도 하고 글이 짧으니 아이들이 좋아해요. 해롭지 않습니다. 학습 만화책도 허용해 주세요. 흥미를 북돋고 얕은 배경지식을 쌓는 데 긍정적인 효과가 있습니다. 단, 줄글 책도 반드시 함께 읽으면서 읽어야 합니다. 만화책은 글이 짧고 문맥의 연계성이 미흡해 독해력과 사고력 향상에는 별로 도움이 되지 않아요. 제대로 된 독서 실력을 쌓고 싶다면 줄글 책을 꼭 읽어야 합니다.

독서에는 꾸준함이 있어야 해요. '독서 습관'이라는 말처럼 습관적으로 책을 읽어야 합니다. 이를 위해 고정된 시간으로 독서 시간을 정하길 추천합니다. 등교 전이나 잠자기 전 시간을 활용하세요. 적은 시간이라도 괜찮으니 매일 습관처럼 책을 읽도록 합니다. 1학년 때는 10분이었다면 점점 시간을 늘려 2학년부터는 30~40분씩 읽도록 습관을 들이세요. 독서는 초등 고학년, 중학교, 고등학교 시기까지도 이어져야 합니다.

아이 혼자 책을 읽어도 좋지만, 곁에서 부모님이 함께 책을 읽는다면 아이가 책 읽는 시간을 더욱 즐겁게 여길 겁니다. 독서 습관 잡기에 시너지 효과가 납니다. 아이는 책을 읽는데 가족들이 휴대폰만 쳐다보고 있다면, 억울한 마음도 들 테지요. 책 말고도 재미있는 게 많은 세상에, 읽고 싶은 마음이 사라지기 쉽습니다. 가족이 옆에서 함께 책을 읽는다면 아이는 독서 시간을 훨씬 편안하게 느낍니다. 부모님과 함께하는 시간이라 부담이 아닌 공감의 시간이 되지요. 독서실처럼 조용한 분위기를 바라지는 말아 주세요. 아이가 자유롭게 질문해도 허허 웃으며 대답해 주세요. 독서를 가족 문화로 만들어 보세요.

"똑바로 앉아서 읽어라!", "제대로 읽고 있는 거냐?", "방금 읽은 거 무슨 내용이야?", "줄거리 얘기해 봐.", "집중 좀 해." 독서 시간에 이런 잔소리는 넣어 두세요. 아이가 초롱초롱한 눈으로 책에 집중할 수 있도록 분위기를 조성합니다. 아이가 원한다면 아이 책을 부모님이 읽어 주셔도 좋습니다. 이때 부모의 입보다 아이의 말에 더 관심을 기울이세요.

독서 습관을 잡는 골든 타임은 초등 저학년 시기입니다. 고학년이 되면 사춘기 조짐이 스멀스멀 올라오고 공부량도 많기에 독서는 후순위로 밀려납니다. 그때는 부모의 강요로 책을 읽을 수 없거든요. 저학년 때 독서 습관을 길러 주세요. 자연스럽게 몸으로 독서를 익힌 아이들은 고학년이 되어서도 손에서 책을 놓지 않습니다.

국어사전 활용

어휘력을 높일 수 있는 가장 효과적인 방법은 독서입니다. 교과서 읽기와 독서를 꾸준히 병행한다면, 어휘력은 향상됩니다. 하지만 '아이가 제대로 알고 있을까?'라는 막연한 불안감이 들 수 있어요. 부모 마음에 중요한 어휘는 꼭 한번 짚고 넘어가고 싶지요. 모든 어휘를 다 확인하며 책 읽을 필요는 없지만, 적절한 자극을 통해 어휘력을 확인할 수 있습니다.

바로 국어사전을 적극 활용하는 방법입니다. 초등 3학년이 되면 학교에서 국어사전 활용에 대해 배웁니다. 사전에서 낱말 찾는 법을 익힙니다. 4학년이 되어서도 사전을 활용한 학습을 하고 있어요. 다만 학교에서는 마음껏 사전을 펼치고 익힐만한 시간이 충분하지 않습니다. 가정에서 활용할 수 있도록 안내하는 정도입니다.

초등 1~2학년부터 집에서 종이 사전을 활용하세요. 궁금해하는 낱말을 찾아서 보여 줍니다. 특히 교과서를 읽다가 설명이 필요한 어휘가 있다면 사전을 펼쳐 보여 주세요. 함께 읽어 보며 뜻을 이해합니다. 낱말을 설명하는 단락의 내용은 모두 읽습니다. 사전에는 단어의 뜻만이 아니라 용례가 나오지요. 예시로 나와 있는 문장도 꼭 살펴봅니다.

초등 3~4학년에는 학교에서 사전 활용법을 익히기 때문에 아이들의 관심도도 높아집니다. 혼자서도 낱말을 찾을 수 있어요. 긴 글을 읽으며 모르는 낱말의 뜻을 추론하기도 합니다. 추론한 내용이 맞는지 확인하는 용도로 사전을 활용하면 유익합니다. 문맥을 통해 스스로 이해하고 사전을 통해 직접 점검했기에 기억하기도 쉽습니다.

초등 5~6학년에는 낱말의 다양한 형태를 이해하는 데 사전을 활용하면 좋습니다. 형태는 같지만 다른 뜻을 가진 동형어, 한 낱말이 여러 가지 뜻을 가진 다의어 등을 파악할 때 사전이 유용해요. 예를 들어 동형어인 '바람'을 찾으면 '기압의 변화 또는 사람이나 기계에 의하여 일어나는 공기의 움직임'과 '어떤 일이 이루어지기를 기다리는 간절한 마음'의 뜻이 있습니다. 사전을 활용하여 여러 의미를 살피고 정확하게 어휘의 뜻을 정립할 수 있어요.

인터넷 사전이 간편하긴 합니다만, 초등 3~4학년까지는 종이 사전을 추천합니다. 인터넷 사전은 키워드만 입력하여 검색하기에 찾는 낱말에 해당하는 뜻만 나오지요. 반면 종이 사전은 주변 다른 낱말을 함께 볼 수 있는 장점이 있습니다. 책 읽듯이 읽을 수도 있어요. 종이 사전에 먼저 익숙해진 후 인터넷 국어사전도 자유롭게 활용할 수 있도록 해 주세요.

아이가 원한다면 사전에서 찾은 내용을 하나의 공책에 정리하여 '나만의 어휘 공책'으로 활용할 수 있도록 합니다. 며칠 지나 한두 번 다시 읽어 보면 복습의 효과도 있지요. 억지로 할 필요는 없어요. 손으로 직접 낱말의 뜻을 찾고 읽는 것만으로도 어휘력 향상에 상당한 효과가 있습니다.

일상 어휘력

부모와 아이의 상호 작용은 아이의 언어 체계를 형성합니다. 아이가 처음 말을 배울 때 부모는 수다쟁이였습니다. 부모는 다양한 의성어와 의태어를 섞어가며 말을 들려주었어요. 동요를 불러 주고 그림책도 읽어 주고요. 다양한 언어 자극으로 아이의 감수성은 물론 어휘력도 늘었지요.

초등 시기도 마찬가지입니다. 아이의 어휘력을 키우고자 노력했던 유아 시절만큼 초등 시기에도 다채로운 부모의 어휘를 아이에게 들려주세요. 아이의 나이와 발달 수준에 맞게 언어 자극을 충분히 주세요. 영어 단어 외우듯이 어휘를 가르치자는 건 아닙니다. 일상 대화 속에서 아이가 흥미를 갖고 집중하도록 상호 작용하는 겁니다.

초등 1~2학년 때는 말놀이를 활용하세요. 초등 저학년 아이들은 끝말잇기와 같은 말놀이를 참 좋아해요. 어른에게는 별것 아닌 것 같지만 아이들은 끝말잇기를 통해 낱말을 떠올리고 새롭게 조직합니다. 부모의 낱말을 듣고 모르는 뜻을 묻기도 하고요. 수수께끼 놀이도 좋아요. 하나의 주제를 선정해서 낱말이 떠오르도록 설명합니다. 아이는 여러 힌트를 통해 낱말을 유추해요. 예를 들면 '학교'라는 답으로 문제를 낼 때 '교무실', '교장 선생님', '급식' 등의 연관 어휘를 사용합니다.

초등 3~4학년 때는 아이와 다양한 주제로 대화하세요. 이 시기는 글 읽기도 어느 정도 익숙해지고 자기만의 관심사가 생기는 시기입니다. 아이의 관심사를 파악하고 관련 내용에 대해 다양한 정보를 제공하고 조언합니다. 아이가 로봇에 관심을 가진다면, 로봇에 관한 신문 기사를 읽고 흥미를 일으키는 주제로 대화를 이끌 수 있습니다. '로봇 청소기'부터 '자율주행 로봇', '인공지능 로봇' 등 뉴스에 등장하는 어휘를 활용한 대화가 가능합니다.

초등 5~6학년에는 심도 있는 어휘 사용이 가능합니다. 아이는 자기주장이 생기고 사회 현상에 비판하는 눈도 갖게 됩니다. 사회 문제를 함께 토론할 수 있어요. 어른과 대화하듯 말해도 아이는 받아들입니다. 아무래도 사춘기가 시작하는 시기이기에 아이의 말을 경청하며 호응하는 자세가 우선으로 필요합니다. 그래야 아이의 꿈, 시사 문제, 공부 등 더 많은 이야기로 넘어가는 것이 가능하니까요.

아이는 부모의 어휘를 닮아갑니다. 평소 아이에게 살짝 어려울 것 같은 단어를 섞어서 이야기해 보세요. 최근 뉴스에서 나온 새로운 개념을 이야기하며 아이의 호기심을 자극하세요. 속담, 사자성어, 한자어 등을 자연스럽게 녹여 대화하세요. 무엇보다 부모와 아이가 건강한 관계여야 이런저런 대화가 가능하다는 점을 잊지 마세요.

어휘·독해 문제집

어휘력이 국어 실력에 큰 영향을 주는 요인이기에, 부모는 아이의 어휘력이 학년에 맞게 잘 늘고 있는지 확인하고 싶습니다. 학교에서 보는 단원 평가에서는 따로 어휘만을 다루지 않기에 확인할 길이 없고 불안한 마음이 커지지요. 여기에 더해 좀 더 다양한 분야의 어휘를 노출할 필요성도 느낍니다. 이런 갈증이 생길 때는 어휘 문제집과 독해 문제집을 활용해 보세요.

시중에 초등학생을 위한 다양한 어휘·독해 문제집이 있습니다. 각 학년에 맞게 아이들 수준에 따라 문제집이 구성되어 있어요. 교과서를 읽고 이해할 수 있다면 하루에 한 장 정도 어휘 또는 독해 문제집 풀기를 권합니다.

문제집은 초등 3학년부터 시작합니다. 초등 1~2학년은 필요 없습니다. 이 시기에는 학습 내용이 많지 않고 교과서만으로도 충분하기 때문이에요. 3학년부터는 교과서 내용이 많아지고 어휘 분량도 늘어나니, 어휘 문제집으로 어휘력을 키우고 아이의 어휘 실력을 점검하는 방법도 활용할 수 있습니다.

먼저 학년에 맞는 어휘 문제집을 고릅니다. 독해 문제집도 좋습니다. 문제집에는 지문과 문제가 있습니다. 친절하게 어휘 설명도 함께 있어요. 학년에 맞게 문제를 풀고 기억해야 할 어휘를 확인합니다. 외울 필요는 없습니다. 한 번씩 확인하고 며칠 지나 일상 속에서 사용하며 상기시켜 보는 정도도 괜찮습니다.

일일이 지문에 밑줄을 치며 읽을 필요는 없지만, 문제 풀이 정답률이 70% 이하라면 꼼꼼하게 지문을 읽도록 하세요. 낭독해도 좋습니다. 정답을 쓰려면 지문 정독이 필수입니다. 문제 하나를 풀어도 정확하게 푸는 연습이 중요합니다. 지문을 정확하게 읽어내는 습관은 교과서를 읽을 때도 영향을 주어 선순환으로 작용할 거예요.

단, 어휘 문제집이나 독해 문제집을 푼다고 하여 문해력이 드라마틱하게 높아질 거라 기대하지는 마세요. 문제집보다 우선하는 것이 첫째는 교과서 읽기, 둘째는 독서입니다. 교과서 읽기와 독서를 충분히 한 후 어휘력과 독해력을 확인하는 용도로 문제집을 푸는 겁니다. 어휘력 수준을 확인하며 아이가 모르는 다양한 어휘를 노출하는 기회로 삼는 정도가 적당합니다.

글쓴이의 의도 파악하기

최근 수능 국어의 복병은 대부분 '독서(비문학)' 영역입니다. 국어 시험에 낯선 과학, 사회, 역사 지문이 등장합니다. 얼핏 보면 국어 문제인지 다른 교과 문제인지 헷갈릴 정도입니다. 그래서 1등급을 판가름하는 고난도 문제는 배경지식이 탄탄해야 한다고들 말합니다.

맞습니다. 배경지식을 알고 있으면 좋지요. 그렇지만 현실적으로 판단해 봅시다. 국어 지문에 어떤 분야의 무슨 내용이 나올지는 사실 복불복입니다. 누구도 세상 모든 분야의 지식을 알고 있기는 힘들어요. '국어' 시험의 본질을 생각하세요. 평가의 목적은 '독해력'에 있습니다. 배경지식을 알고 있는지를 묻는 게 아니라 제대로 지문을 이해하고 해석했는지를 묻습니다.

독해력이 부족한 아이들은 다섯 개의 선지가 모두 답처럼 느껴지기도 합니다. 매력적인 오답에 넘어가지요. 지문에서 전체를 보지 못하고 하나의 문장에 꽂히거나 핵심 내용이 아닌 생소한 어휘에 자꾸 눈길이 가 답을 찾습니다. 글쓴이가 말하고자 하는 의도를 해석하지 못하고 자기 마음대로 해석하고 말지요.

독해력 내공이 있다면 문학 분야는 물론이고 비문학 분야도 풀 수 있어요. 처음 보는 내용이라도 당황하지 않고 자신 있게 문제를 독파합니다. 독해력은 단순히 글을 읽고 문제를 푼다고 오르지 않습니다. 독서를 통해 습득한 폭넓은 배경지식과 풍성한 어휘력이 필요합니다. 나아가 글을 읽으며 글쓴이의 의도를 정확하게 파악하는 능력이 필요합니다. 짧은 글이든 긴 글이든 글의 중심을 잘 찾아야 해요.

지문에서 말하고자 하는 핵심 내용을 자연스럽게 파악하기 위해서는 글쓴이의 의도를 찾는 독서법이 도움이 됩니다. 초등 시기부터 훈련 가능합니다. 먼저 문학 작품을 통해 글쓴이의 의도를 파악하는 연습을 합니다. 동화나 소설의 중심인물에 공감하며 읽습니다. 인물이 처한 상황, 사회적 배경 등을 살핍니다. 인물의 관계와 사건에 따라 주인공의 성격, 심리, 자세 등을 파악해야 해요. 문학 작품인 시도 그렇습니다. 시에는 은유나 비유가 많지요. 화자가 처한 사회적·시대적 상황 해석이 중요해요. 어떤 주제를 표현하고 싶은 것인지 화자가 당면한 상황에서 글을 해석해야 합니다.

예를 들면, 동화책을 읽은 후 아이에게 '줄거리가 뭐야?'라고 묻지 말고 '주인공은 어떤 사람이야?'라고 물어보세요. 주인공을 중심으로 어떤 사건이 발생했는지, 왜 그랬는지, 어떻게 문제를 해결했는지를 질문하는 겁니다. 주인공의 심정은 어떨지 마음을 짐작합니다. 주인공을 통해 작가가 독자에게 전하고 싶은 주제는 무엇인지 답하도록 합니다.

고학년이 되어 신문 기사나 비문학 지문을 읽을 때는 전체를 관통하는 핵심 주제를 파악해야 합니다. 글을 읽으며 '글쓴이는 궁극적으로 무얼 말하고 싶은 걸까?'에 집중하며 글을 읽습니다. 지문에서 주제를 대변할 수 있는 핵심 문장을 찾아보는 것도 좋은 방법입니다.

모든 책을 읽을 때마다 글쓴이의 의도를 묻는다면 아이가 부담스러워할 수 있어요. 교과서의 지문이나 즐겁게 읽은 책에서 글쓴이의 의도를 짐작해 보세요. 자기 기준으로 해석하지 않고 글쓴이가 독자에게 하고 싶은 메시지가 무엇인지 찾습니다.

이미지로 떠올리기

수능 국어 시험의 지문을 본 적이 있으신가요? 시험지 한 바닥을 넘어가는 지문도 있으니 읽을 분량이 어마어마합니다. 내신 국어도 만만치 않습니다. 짧은 시간에 긴 지문을 읽고 독해하기는 쉽지 않지요. 지문의 끝 문단을 읽으며 '방금 내가 뭘 읽었지?'하고 다시 맨 앞 문단으로 돌아가기 일쑤입니다.

2,000자가 넘는 장문의 글을 단시간 내에 읽어내는 능력은 풍부한 독서 경험에서 나옵니다. 독해가 능한 아이들은 장문을 읽으며 큰 기둥을 세우고 가지를 뻗어 나갑니다. 머릿속에 글의 내용을 하나의

나무처럼 그리며 이해하는 것이죠. 글을 읽으며 동시에 핵심 내용이 파악되어 그려지기 때문에 문제를 풀 때 다시 지문으로 돌아가지 않아도 정확하게 풀어냅니다.

보통 재미있게 읽은 책은 머릿속에 그림이 그려집니다. 영화 한 편을 본 것처럼 글이 시각화되어 장면으로 변하는 신기한 경험을 하게 됩니다. 하지만 읽기 경험이 부족한 초등 아이들은 이러한 시각화 과정이 잘 일어나지 않아요. 책을 읽으며 이미지를 만들지 못하고 '아까 무슨 얘기 했더라?'라고 물음표를 간직한 채 앞 페이지로 다시 넘어가지요. 이는 수능에서 장문의 지문을 읽을 때와 비슷한 현상입니다.

자연스럽게 머릿속에 그림을 그리며 글의 내용을 끝까지 이어가는 연습을 위해서 초등 시기에는 그림책 활용이 도움이 됩니다. 특히 저학년 때 그림책을 최대한 많이 읽어 주세요. 물론 고학년까지도 그림책은 훌륭한 독서 매체입니다. 그림책은 상황에 따라 그림이 곁들여 있어 직관적으로 글을 이해할 수 있게 합니다. 그림책 읽기로 여러 장면과 다양한 그림을 경험한 아이들은 그림이 없는 글을 읽을 때도 상상력을 발휘하기 쉽습니다.

줄글 책을 읽히겠다고 섣불리 그림 없는 책을 내미는 것은 역효과가 납니다. 삽화가 간간이 들어간 책은 아이가 서사를 끝까지 이어갈 수 있게 도와줍니다. 글자만 읽는 책 읽기가 능사는 아닙니다. 고학년까지도 삽화가 들어간 책을 읽어도 좋으니, 여유를 주세요.

학년이 오르면서 점차 서사가 긴 동화나 문학책 읽기도 반드시 병행해 주세요. 주인공을 중심으로 일어나는 사건을 상상하며 긴 서사로 글을 읽어 본 아이와 그렇지 않은 아이의 독해력에는 분명 차이가 있습니다. 독해 문제집에 나오는 짧은 글만 읽은 아이는 두 페이지 이상 넘어가는 글을 읽기 힘겨워합니다. 학년에 맞게 적당히 글밥을 늘려 독서해야 합니다. 이때는 뒷이야기가 궁금해서 책장을 넘길 만큼 재미있게 읽을 수 있는 이야기책이 좋습니다.

책을 끝까지 읽었을 때 재미있는 영화를 본 듯한 느낌이어야 합니다. 저학년 때는 50쪽 내외의 책이지만, 고학년이 되어서는 그림 하나 없는 300쪽 가까이 되는 책도 자기만의 그림을 머릿속에 그리고 또 그리며 읽어야 해요. 긴 호흡으로 서사를 읽어 가며 머릿속에 재미있는 영화를 만들어 가야 합니다. 고학년쯤 되면 인지 능력도 발달하며 사건이 일어난 상황뿐만 아니라 작품의 가치도 생각할 수 있게 됩니다. 주인공의 행동, 감정을 머릿속으로 묘사하며 궁극적으로 작품에서 말하고자 하는 의미를 정리할 수 있게 되지요.

삶과 연결하기

국어는 본디 의사소통의 도구입니다. 아이들은 언어를 통해 자신을 알아 갑니다. 언어로 타인과 교류하고 어울려 사는 법을 배우지요. 아이들은 국어를 배우는 과정에서 말과 글에 따른 책임을 알게 됩니다. 바람직한 인성을 가꾸는 일이에요. 국어를 통해 관계를 점검하고 형성하는 능력을 갖추게 됩니다. 국어 공부는 삶의 가치관을 형성하는 과정이라고 할 수 있습니다.

초등 교과서나 초등 추천 도서를 살펴보면 어린이로서 갖추어야 할 품성과 태도에 대한 주제가 많이 나옵니다. 아이들은 세상과 소통하고 공동체의 일원으로 살아갈 방법을 배우게 됩니다. 여러 글 안에는 실제 있을 법한 일과 사람들이 등장합니다. 수많은 직업, 다양한 공간, 여러 계층의 사람이 이야기로 표현됩니다. 사회에서 일어나는 희로애락이 녹아있어요.

국어로 쓰인 글은 온실 속의 화초처럼 자라는 아이들에게 온실 밖의 다양한 상황을 간접적으로 경험하는 기회가 되지요. 실제 경험하기 힘든 전쟁의 슬픔, 차별로 인한 아픔, 사회의 부조리 등을 알게 되고, 소외 계층의 어려움, 어린이로서의 느끼는 부당함 등을 읽게 됩니다. 더불어 행복한 사회상을 경험합니다. 위대한 위인의 이야기, 평범하지만 어려움을 극복한 사람의 이야기, 불우한 상황에도 꿈을 이룬 이들의 이야기 등은 아이들에게 희망을 심어 줍니다. 자존감을 세우는 일, 자기 자신을 지키는 일, 자기답게 사는 법 등을 국어 활동과 독서를 통해 배우게 됩니다.

책 한 권으로 삶이 바뀌었다는 사람들이 있습니다. 아이들 또한 그렇습니다. 공부 이상으로 삶의 지침을 주는 매개체가 바로 책입니다.

책에 공감하며 생각을 키우다 보면 세상에 관한 가치관이 바뀌기도 하지요. 자기 삶과 연결된 책은 그만큼 강력한 힘이 있습니다.

글에 담긴 상황과 등장인물의 태도를 살피고 공감하며 읽어야 합니다. '책은 책, 나는 나'라는 생각보다 '책은 나'라는 마음가짐으로 읽어야 해요. 스토리에 푹 빠져 주인공에게 공감해야 합니다. 읽으며 끊임없이 '나라면 어떻게 했을까?'라는 질문을 던져야 합니다.

숙제처럼 읽는 독서가 아닌 자발적으로 흥미를 느끼는 독서가 되어야 하는 이유도 여기에 있습니다. 관심을 가지고 선택한 책을 읽을 때, 아이는 주인공과 자신을 동일시하여 책 속에 빠져듭니다. 주변에 책의 내용과 비슷한 상황이 없는지 자연스럽게 찾아봅니다. 본받고자 하는 태도가 있다면 자기 것으로 취하려 합니다. 책이 아이의 삶 속에 들어옵니다.

모든 읽을거리에 아이가 공감했는지 안 했는지 알 수는 없지요. 아이가 재미있었다고 엄지를 들어 올리는 책이 있다면, 그때 질문해 주세요. "네가 주인공이라면 어떻게 했을 것 같아?", "네 주변에도 그런 상황이 있었니?", "새롭게 알게 된 사실은 뭐야?"라고 말이지요. 아이의 삶과 연결하여 의미를 부여해 주세요. 국어 실력이 높아지는 건 물론, 아이가 언어를 통해 세상과 소통하는 법을 배우고 자신만의 올곧은 가치관을 세울 것입니다.

초 1의 글자 쓰기

아이가 학교만 들어가면 글을 술술 쓸 것 같지만, 현실은 엄마 마음 같지 않습니다. 글을 읽으면 당연히 쓰기도 할 것 같은데 말이지요. 초등 6년 동안 아이의 키가 훌쩍 크는 만큼 쓰기 실력도 서서히 늡니다. 멀리 내다보며 여유를 가지시길 바랍니다.

글쓰기로 초 1부터 힘 빼지 맙시다. 초 1의 쓰기는 '글자 쓰기'면 충분합니다. 글씨를 바르게 쓰는 것, 글자를 정확하게 쓰는 것이 목표입니다. 연필을 제대로 쥐고 낱자의 모양과 간격 등을 유념해서 쓰는 겁니다. 받침이 없는 글자를 시작으로 받침이 있는 글자를 쓸 수 있도록 살펴봐 주세요.

소소한 글자 쓰기이지만 초 1 아이들은 아직 소근육 발달이 진행 중입니다. 느낌과 생각을 쓰기에도 아직 이릅니다. 가장 기본적인 글자, 낱말을 바르고 정확하게 쓰는지에 집중합니다. 낱말 쓰기에 익숙해지면 한 문장 정도를 쓰도록 도울 수 있습니다. 이때에도 생각을 쓰는 것이 아닌 글자 쓰기에 목적이 있습니다. 아이의 수준을 넘어 문장을 따라 쓰고 읽은 책의 줄거리를 쓰는 것은 아이에게 부담으로 다가옵니다. 흥미를 갖고 글자를 재미있게 쓸 수 있도록 쓰기를 진행하세요.

학교에서 내주는 숙제를 최우선에 둡니다. 학교 수업을 잘 따라간다면 여타의 문제집도 필요 없습니다. 굳이 일기 쓰기도 필요 없습니다. 아이와 쓰기로 실랑이하느니 책 읽기에 시간을 더 투자하세요. 원래 읽기 능력이 선행한 뒤 쓰기가 가능합니다. 이 점을 명심하세요. 긴 글을 읽어도 쓰는 데엔 서투르기 마련입니다. 천천히 글쓰기를 시작하세요.

담임 선생님에 따라 1~2학년 때 받아쓰기를 합니다. 학교 숙제라면 아이의 성취감을 위해 집에서 연습해 보는 것이 맞습니다. 학교에서 자신감 있게 평가에 임하도록 말이지요. 하지만 틀린 부분을 반복하여 지적하지 마세요. 흥미를 잃고 글자 쓰기를 두려워한다면 글쓰기의 시작조차 어렵습니다.

일기 쓰기

기초 한글을 잘 쓸 수 있으면 1학년 말부터는 일기 쓰기를 시도할 수 있습니다. 국어 교과서 1학년 2학기에는 '일기 쓰기' 단원이 있습니다. 일기가 무엇이고, 일기를 쓰려면 어떻게 써야 하는지 배우게 됩니다. 수업 중 일기 예시도 살피고 실제로 일기를 써 봅니다.

일기는 인상 깊었던 일이나 겪은 일을 쓰는 글입니다. 하루 중 경험한 일을 쓰는 글이기에 글쓰기에 쉽게 접근할 수 있어요. 보통 일기는 일과를 모두 쓰는 것이 아닌 그중 하나의 사건을 가려 씁니다. 당시 일어난 일, 느꼈던 감정 등을 씁니다.

일기를 매일 쓰면 좋으나 뭐든 과하면 안 하는 것만 못합니다. 아이가 지겨워하고 힘들어 한다면 매일 쓸 필요는 없습니다. 글쓰기는 아이가 질리지 않아야 계속 쓸 맛이 나거든요. 일주일에 한 번도 좋으니 아이가 흥미 있게 일기를 쓰도록 이끌어 주세요.

아이들은 자기 일기임에도 불구하고 엄마에게 "뭐 써요?"라고 묻습니다. 이때 부모와 적절한 대화가 필요합니다. 아이가 일기를 쓰기 전 진솔한 대화로 워밍업 시간을 가지세요. "오늘 아침, 점심, 저녁에 무엇을 했지?", "누구랑 있었지?", "어디에 있었지?", "가장 기억에 남는 일은 뭐야?" 등 구체적인 질문을 통해 아이가 하루를 돌아볼 수 있게 도와주세요.

| 일기 쓰기 주제 정하기 |

겪은 일		생각이나 느낌
언제		
어디서		
누구와		
무슨 일		

단답형으로 대답한다면 꼬리에 꼬리를 물어 질문합니다. "그때 기분은 어땠어?", "어떤 감정이었어?", "무엇을 배웠어?", "생각이 어땠어?" 등 아이의 느낌과 생각을 구체적으로 물어봅니다. 아이는 "재밌었어요."라고 무미건조하게 대답할 수 있는데요, 그때는 "하늘이 날 듯 기뻤겠구나.", "그 아이 마음이 얼음물처럼 차가웠겠네.", "어느 때보다 만족스러웠구나."라며 다양한 어휘로 아이의 말을 다시 표현해 줍니다.

아이는 대화를 통해 무엇을 쓸지, 어떻게 쓸지 감을 잡습니다. 부모님과 감정을 나누고 나니 더 신나게 글을 쓸 수 있어요. 잘 쓴 일기는 생동감이 넘치지요. 모든 글이 그렇지만, 읽는 사람이 언제, 어디서, 무엇을, 어떻게 했는지가 눈에 보이듯이 그려져야 좋은 일기입니다. 일기를 점검하면서 아이의 느낌과 감정에 공감이 간다면 더할 나위 없이 잘 쓴 글입니다.

처음부터 완벽한 일기를 쓸 수 없어요. 6학년 졸업할 때까지도 부모 마음에 쏙 드는 일기를 쓰기는 어려울 것입니다. 완벽함을 바라지 말고 아이가 하나하나 배우고 있다고 생각하세요. '자신의 감정과 생각을 이렇게 솔직하게 쓰는구나.'라며 격려해 주세요. 형식을 강요하지 마세요. 맞춤법이 틀렸다고 너무 나무라지 마세요. 아이들은 쓰고 고치며 점차 나아집니다.

아이의 일기가 탐탁지 않다면, 차라리 다 쓴 일기를 아이가 스스로 다시 읽도록 하세요. 자기가 쓴 글을 읽으며 아이는 수정할 부분을 발견합니다. 아이 스스로 고치게 하세요. 그리고 아이가 쓴 일기에 피드백을 해 주세요. 마음을 읽고 공감하는 문장을 서너 줄 아이 글 밑에 써 주는 겁니다. '잘 썼어'라는 짧은 칭찬의 말보다 효과가 좋습니다. 강요하지 않아도 아이는 부모의 피드백에 마음이 움직여 내일의 일기를 준비합니다.

아이가 쓴 일기는 꼭 보관합니다. 다음 학년에 올라가 두둑하게 쌓인 일기장을 보면 아이는 성취감을 느낍니다. '이땐 이랬지.'라며 추억을 돌아볼 수 있고요. 곳곳에 쓰인 엄마의 메시지에 사랑을 확인하게 됩니다.

독서 감상문 쓰기

3학년 2학기가 되면 국어 시간에 독서 감상문 쓰기를 배우게 됩니다. 독서 감상문은 책을 읽은 후 책을 읽게 된 동기, 줄거리, 인상적인 장면, 느낀 점 등을 쓴 글입니다. 학교 다닐 때 써 보셨겠지만, 이게 만만하지 않아요. 그렇다고 겁먹고 빨리 시작할 필요는 없습니다. 수업 중 독서 감상문 쓰기 요령을 배우는 시기가 3학년 2학기이니 그즈음 독서 감상문 쓰기 연습을 시작합니다.

읽은 책 모두를 감상문으로 쓸 수는 없습니다. 일주일에 한 번 정도 감상문 쓰기를 추천합니다. 먼저 감상문을 쓰고자 하는 책을 골라야겠지요. 재미있게 읽은 책도 좋지만, 여러 가지 생각을 하게 된 책이나 새롭게 알게 된 내용이 많은 책을 고릅니다. 읽은 책 내용을 다시 생각해 보고 싶고 친구에게 소개하고 싶은 책이면 적합합니다.

책을 읽게 된 까닭은 솔직하게 써요. '책 표지가 예뻐서', '제목이 궁금해서' 등 자유롭게 씁니다. 다음으로 책 내용인 줄거리를 씁니다. 줄거리 쓰기에 주저하는 경우 온라인 서점의 출판사 서평을 참고해 보세요. 한번 읽어 보면 어떤 식으로 쓸지 힌트를 얻을 수 있습니다. 인상 깊었던 장면을 쓸 때는 자신의 상황에서 공감되고 가장 기억에 남는 장면을 씁니다. 인상 깊었던 이유를 들며 주장을 뒷받침하도록 합니다. 책 속의 문장을 활용해도 좋아요. 책을 읽은 후 느낀 점, 생각, 교훈 등으로 독서 감상문을 마무리합니다. 자기 삶과 연관 지어 배운 점이나 앞으로 다짐을 쓰면 더욱 풍부한 글쓰기가 되지요.

| 독서 감상문 쓸 내용 정리 |

책 제목	
책을 읽게 된 까닭	
책 내용	
인상 깊은 부분	
책을 읽은 뒤에 든 생각이나 느낌	

▪ 출처: 초등 국어 3-2(나)

3학년 아이가 쓰는 독서 감상문은 좁은 줄 공책 10줄 내외입니다. 첫술에 배부르지 않아요. 잘 못 써도 좋으니 학교에서 배운 독서 감상문 쓰는 법을 제대로 알고 형식에 맞게 분량에 맞게 쓰도록 합니다. 4학년 2학기가 되면 국어 수업 시간에 독서 감상문 쓰기를 또 배워요. 큰 틀은 같습니다. 아이의 독서 실력이 자란 만큼 독서 감상문의 분량은 길어집니다. 책을 읽고 일기, 편지, 시 등 다양한 형식으로 독후 감상문을 쓰는 방법이 소개됩니다. 독서 감상문을 쓰고 난 후 고쳐 쓰는 과정을 거치지요.

가정에서는 아이가 쓴 감상문을 긍정의 눈으로 읽어 주세요. 아이의 독서 감상문에 밑줄 치며 고치려 하지 마세요. 굳이 도와주고 싶다면 독서 감상문을 쓰기 전 예시가 될 만한 잘 쓰인 또래의 글을 보여 주세요. 잘 쓴 글을 참고하며 아이는 훨씬 수월하게 쓸 수 있습니다. 아이가 정성을 다해 쓴 독서 감상문에 "엄마도 이 책 읽고 싶네." 라며 공감과 칭찬의 말을 아낌없이 해 주세요.

독서 감상문 쓰기는 중학교, 고등학교 교육 과정에도 있습니다. 큰 형식은 달라지지 않고 분량, 어휘, 구조, 표현의 깊이가 깊어지지요. 독서력이 높은 아이들이 글도 잘 쓴다는 사실을 잊지 마세요. 버릇처럼 펼치는 책 속에서 쓸 어휘도, 표현도 배울 수 있어요. 학년에 맞게 국어 교과서의 글쓰기 훈련을 잘 따라간다면 걱정하지 마세요. 아이는 잘하고 있습니다.

논술 쓰기

논술은 논리적인 글쓰기입니다. 어떤 것에 관하여 설득력 있는 근거를 들어 서술하는 글입니다. 중·고등학교에서 시행되는 서·논술형 평가와 대입 논술 전형 때문인지 논술의 위상이 높아졌습니다. 하루라도 빨리 논술을 시킨다면 더 잘할 것 같은 느낌이 듭니다.

말 그대로 논술은 논리적인 근거를 들어야 하는 글이기에 어느 정도 사고가 자라야 가능한 글쓰기입니다. 선입견 없이 객관적인 시각으로 자기주장에 이유를 들 수 있어야 해요. 어떤 것에 대해 사실 진위를 살피고 질문할 수 있는 비판적인 시각이 필요합니다.

국어 교과서에는 5학년 2학기가 되어서야 '비판하며 읽기', '의견을 조정하며 토의하기', '타당성을 생각하며 토론하기' 등이 나옵니다. 자신의 의견을 세우고 뒷받침할 내용을 꾸리는 과정이 상세히 소개됩니다. 그마저도 말하기로 끝나고 논술 쓰기는 등장하지 않아요. 본격적인 논술 쓰기는 6학년 1학기 교과서에 '주장과 근거를 판단해요'라는 단원에서 배웁니다. 주장하는 글에 담긴 내용이 타당한지 살피고, 표현의 적절성을 판단하지요. 논설문이 무엇인지, 타당한 근거를 들어 논설문 쓰는 방법을 학습합니다. 그러니 논술은 천천히 시작하세요. 6학년 때 해도 늦지 않습니다.

우리가 공공연하게 쓰는 '논술'은 '논설문'을 말합니다. 어떤 문제를 놓고 주장과 타당한 근거로 쓰인 글이지요. 논설문은 서론－본론-결론으로 구성되어 있습니다. 글의 처음인 서론에서는 문제 상황을 제기합니다. 본론에서는 글쓴이가 주장하고자 하는 의견을 밝힙니다. 다양한 예시와 분명한 근거를 들어 설명합니다. 결론은 글의 내용을 요약하거나 다시 한번 강조합니다.

| 논설문의 짜임 |

서론	문제 상황 제기
본론	주장과 근거
결론	내용 요약과 강조

논설문은 논리적인 글쓰기이기에 '~와 같다.', '좋았다.', '별로다.' 등 감정에 치우친 표현 대신 명확하고 객관적인 사실을 중심으로 써야 합니다. 의미가 불분명한 말, 모호한 표현 등은 쓰지 않습니다. '반드시', '절대로'처럼 단정적인 표현도 유의하여 써야 합니다. 또한, 문제 상황에 어긋나는 주장은 주제에서 벗어나는 글이므로 주의해야 합니다.

글을 쓸 때는 '계획하기-내용 생성하기-내용 조직하기-초고 쓰기-퇴고하기'의 과정을 거칩니다. 마인드맵이나 개요를 짜면 길을 잃지 않고 주제를 관통하는 글을 조직할 수 있어요. 주장을 뒷받침할 만한 객관적인 자료와 근거를 충분히 조사하는 것도 질 높은 글을 쓸 수 있게 도와줍니다.

6학년까지 마냥 손 놓고 있기 불안하시죠? 그렇다면 저학년부터 신문 기사를 접하게 해 주세요. 사회, 경제, 과학, 환경, 지리, 스포츠 등 아이의 흥미를 끌 수 있는 분야에서 기사를 고릅니다. 서론-본론-결론의 형식을 갖춘 기사를 읽게 하세요. 아이가 읽고 자유롭게 의견을 내보이도록 합니다. 꼭 글이 아니어도 좋습니다. '왜 그렇게 생각해?'라며 이유를 물어보세요. 대화를 통해 조금씩 생각을 다듬도록 도와줍니다. 다른 쓰기 활동을 하지 않아도 그저 읽는 것만으로도 아이는 충분히 논설문을 접하게 됩니다. 자꾸 보면 글의 형식에 익숙해지고 좋은 논설문이 무엇인지 감으로 알게 됩니다. 고학년이 되어 논설문을 학교에서 배우고 쓸 때 충분히 도움이 됩니다.

사실 탄탄한 독서 실력을 갖추고 일기 쓰기, 독서 감상문 쓰기를 꾸준히 한 아이들은 고학년이 되면 논술 쓰기도 잘 할 수 있어요. 이미 자기 의견을 자유롭게 쓸 수 있으며, 표현할 수 있는 어휘력을 갖추고 있거든요. 쓰는 방법과 유의 사항을 배우면 논설문도 이내 잘 쓸 수 있습니다. 앞선 글쓰기 과정을 모두 뛰어넘고 바로 논설문을 쓰긴 어렵습니다. 형식에 끼워 맞춘다 해도 알맹이 없는 껍질에 불과한 글쓰기가 될 겁니다. 논술 쓰기의 뿌리에도 독서, 어휘, 글쓰기 경험이 있다는 점을 기억하세요.

중·고등학교 논술형 평가, 대학 입시 논술 평가 때문에 논술 쓰기에 특히 고민이 많으실 거예요. 그렇다고 불안해 하지 마세요. 입시에 들어가는 모든 평가는 공정성 때문에라도 정확한 답을 요구하고 있습니다. 글쓰기 능력보다 수업 내용을 얼마나 잘 이해했는지, 문제에 상응하는 정답을 정확하게 썼는지, 조건에 맞게 빠뜨리지 않고 썼는지가 평가 기준이 됩니다. 수업을 잘 이해하고 교육 과정에 맞게 글쓰기 연습을 꾸준히 해 온 아이들이라면 중·고등학교에서도 합당한 평가를 받을 것입니다.

반듯하게 글자 쓰기

수행 평가를 채점할 때 선생님들이 보기에 가장 안타까운 답지가 있습니다. 정답을 알고 쓴 것 같긴 한데, 명확하게 쓰이지 않은 글자와 숫자입니다. 풀이는 정확하게 맞추었으나 마지막 답을 적는 칸에는 정답인 '6'이 아닌 '0'이 쓰여 있습니다. 감점할 수밖에 없는 상황이에요. 학생은 '천재는 악필이다.'라는 농담 섞인 말로 자신을 위로합니다. 한 문제에 등급이 갈리는 판에 부모님과 선생님의 속은 타들어 가지요.

반듯하게 글자 쓰기, 매우 중요합니다. 글자가 날아가는 이 아이들은 초등 시절부터 글자가 그 모양이었습니다. 중·고등학교 가서는 고치기 힘들어요. 처음 글자를 배우는 초등 시기부터 반듯하게 글자 쓰기 습관을 들여야 합니다.

예쁘게 글자를 못 쓰는 데는 이유가 있습니다. 마음이 급해요. 빨리 쓰고 얼른 끝내고 싶어서입니다. 대충 쓰는 버릇이 나중에는 자기 글씨가 되어버리는 것이지요. 한 번 고착된 글씨는 고학년이 되어 고치려 해도 마음처럼 되지 않습니다.

글자를 쓰는 처음 습관이 중요합니다. 한 자를 쓰더라고 정성을 다해 쓰도록 지도해 주세요. 천천히 쓰면 아이들 글씨는 저절로 예뻐집니다. 그래도 부모님이 보기에 아이의 글씨가 마음에 들지 않을 거예요. 아이의 못난 글씨를 지적하기보다 예쁜 글씨를 칭찬하세요. 부모님의 반듯한 글씨도 보여 주시고요. 읽히는 글씨가 제 역할을 한다고, 글씨를 잘 써야 하는 이유를 설명해 주세요. 한 명의 선생님은 백 명이 넘는 학생의 답안지를 읽어요. 글자는 읽을 수 있어야 합니다. 최상위권 아이들은 글자도 보기 좋아요. 아무리 시간에 쫓겨 문제를 풀어도 답안지에는 정자로 반듯하게 씁니다. 그만큼 평가를 소중하게 여긴다는 얘기입니다. 초등 시기부터 습관을 들여 주세요. 잘 쓰인 글자는 공부에 대한 태도라고 말이지요.

• 초등부터 고등까지 국어 공부 로드맵 •

초등 국어 공부 로드맵

앞서 다루었던 초등 국어 공부 로드맵을 표로 정리하였습니다. 읽기, 어휘, 생각하기, 쓰기 영역의 큰 흐름을 보며 내 아이의 인지 발달에 맞게 활용하시길 바랍니다.

<table>
<tr><th colspan="2">학년
공부 전략</th><th>1~2학년</th><th>3~4학년</th><th>5~6학년</th></tr>
<tr><td rowspan="4">읽기</td><td rowspan="2">교과서 읽기</td><td colspan="3">학습 목표를 달성하도록 여러 번 꼼꼼히 읽기</td></tr>
<tr><td>소리 내어 읽기</td><td colspan="2">교과서의 내용을 명확히 이해하며 읽기</td></tr>
<tr><td rowspan="2">독서 습관</td><td colspan="3">흥미에 맞는 책을 꾸준히 읽기
매일 독서 시간 확보하기</td></tr>
<tr><td>읽기에 흥미 갖기</td><td>읽기 흥미 유지하기</td><td>읽기 습관 정착하기</td></tr>
<tr><td rowspan="3">어휘</td><td>사전 활용</td><td>사전 찾기 시도하기</td><td>낱말의 분류,
의미를 용례로 알기</td><td>낱말의 문맥적 의미 추론하기
낱말의 확장과 다양한 형태 알기</td></tr>
<tr><td>일상 어휘</td><td>일상 대화, 말놀이</td><td>경험, 관심사 등 대화의 즐거움 알기</td><td>시사 문제 등으로
대화 주제 확장</td></tr>
<tr><td>어휘·독해 문제집</td><td>–</td><td colspan="2">학년별 어휘·독해 문제집 풀기</td></tr>
<tr><td rowspan="3">생각하기</td><td>글쓴이 의도 파악하기</td><td>주요 내용 확인하기</td><td>중심 생각 파악하기</td><td>신문 기사, 비문학 등
다양한 글에서
핵심 주장과 주제 파악하기</td></tr>
<tr><td>이미지를 떠올리기</td><td>그림책 읽고
장면과 인물의 마음을
상상하기</td><td>그림이 있는
줄글 책 읽고 인물, 사건,
배경을 생각하기</td><td>줄글 책을 읽으며
상황과 작품의 가치를
머릿속에 그리기</td></tr>
<tr><td>삶과 연결하기</td><td colspan="3">'주인공이 나라면?'이라고 생각하기,
작품 속 세계와 현실 세계 비교하기, 글에서 새롭게 알게 된 사실 찾기</td></tr>
<tr><td>쓰기</td><td>글쓰기 습관</td><td>글자 쓰기
일기 쓰기</td><td>독서 감상문 쓰기
의견이 드러나는 글 쓰기</td><td>논술 쓰기 근거를 들어
주장하는 글 쓰기</td></tr>
</table>

중학교 국어 공부 로드맵

초등학교와 중학교의 큰 차이는 평가의 유무입니다. 중학교는 1학년 자유학기제(또는 자유학년제)를 지나 2학년부터 본격적인 평가가 이루어집니다. 수행 평가와 지필 평가로 시험을 봅니다. A, B, C, D, E로 매겨진 평가 결과가 곧 내신 점수가 됩니다. 보통의 지역은 평준화 고등학교이기에 내신 점수가 고입에 크게 작용하지 않지만, 특목고나 자사고를 준비하거나 비평준화 지역의 고입을 위해서는 내신 점수를 꼼꼼히 챙겨야 합니다. 중학교 2, 3학년 성적이 고등학교 성적이 된다고들 합니다. 중학교 시기를 놓치면 고등학교에 가서 따라가기 힘들어요. 어느 학년 하나 중요하지 않은 시기가 없으나 그렇다고 두려워하지는 마세요. 중학교 공부도 초등 시기처럼 '읽기, 어휘, 생각하기, 쓰기'에 노력을 기울이면 됩니다.

풍부한 어휘력은 교과서 독해를 돕습니다. 초등 시기에 했던 사전 찾기와 독해·어휘 문제집을 활용하여 어휘력을 확장하세요. 문제집만 풀고 끝내지 말고, 낯선 한자어, 사자성어, 순우리말 등은 어휘장을 만들어 다시 볼 수 있게 정리하면 좋습니다.

초등학교 때도 독서가 중요하지만, 중학교 때도 그렇습니다. 다만 초등은 재미 위주였다면 중학교는 의미 있는 독서가 되어야 합니다. 중학교 독서는 고등학교를 염두에 두어야 합니다. 고등학교에서 요구하는 독해력과 배경지식을 넓히기 위한 독서입니다. 따라서 인문, 사회, 과학, 철학, 예술 등 다양한 분야의 책을 읽어야 해요. 학년이 오를수록 다른 과목 챙기느라 독서 시간이 부족합니다. 그나마 중학교 1학년은 자유학기제로 시간 여유가 있어요. 이 시기에 더욱 독서에 힘써 보세요. 이후 고등학교 공부가 달라질 겁니다. 목적을 갖고 교과와 연계된 책, 진로와 관련된 책, 필독서 등을 읽기 시작하여 중학교 3학년 때까지 부지런히 책을 읽습니다. 독서 후 독서 감상문을 작성하고 학생부에도 꼭 등록하기를 추천합니다.

중학교 시험은 교과 선생님이 출제합니다. 수업 시간에 선생님이 하는 수업 내용이 곧 시험 범위입니다. 수업 시간엔 선생님 말씀에 집중하고, 또 집중해야 해요. 학습 자료가 있다면 빠뜨리지 말고 챙겨야 합니다. 특히 수행 평가를 무시하면 큰일 납니다. 수행 평가도 내신의 일부입니다. 선생님의 안내에 따라 준비를 철저히 합니다. 보통 수행 평가는 선생님이 어떤 과제인지, 어떻게 평가하는지 미리 공지합니다. 집에서 충분히 대비할 수 있어요. 준비하고 모의 평가를 스스로 치러보면 본 평가에서도 우수한 성과를 얻게 됩니다. 이는 국어뿐 아니라 모든 과목에 해당합니다.

서술형 · 논술형 평가도 미리 연습합니다. 제시된 조건에 맞추어 글을 쓸 수 있도록 질문의 의도를 정확히 파악해서 씁니다. 그러기 위해선 수업 중 선생님 말씀에 무조건 집중해야 합니다. 수업 중 집중했는데도 헷갈리거나 궁금한 게 있다면 선생님을 찾아가 질문합니다. 선생님의 설명을 충분히 듣고 학습 내용과 평가 내용을 정확하고 완전하게 이해해야 해요.

과도한 문제 풀이식 공부는 적합하지 않아요. 다방면의 독서를 통해 배경지식을 넓히고 생각하는 힘을 꾸준히 키워야 합니다. 지속적인 독서와 꼼꼼한 독서 감상문 작성은 쓰기 능력, 독해력, 문해력을 자연스럽게 향상시킵니다.

여러 번의 시험을 거칠 때마다 교과서 읽기 방법, 학습 내용 정리 방법, 효과적인 암기법, 문제 풀이 방법 등에서 시행착오를 거치며, 그리고 교과서를 반복 정독하며 자기만의 국어 공부법을 만들어 갑니다. 고등학교 공부를 위한 단단한 바탕이 마련됩니다.

고등학교 국어 공부 로드맵

고등학교 1학년 학생들이 가장 문을 많이 두드리는 곳이 국어 학원입니다. 아무리 공부해도 점수가 나오지 않는 과목이 국어라고 해요. 그도 그럴 것이 초등부터 영어·수학 학원에 다닌 아이들은 독서를 챙기지 못했습니다. 뒤늦게 고등학교에 와서 국어 학원을 찾으며 만회해 보려 하지만, 점수가 잘 나오지 않습니다. 대입에 국어가 발목을 잡습니다. 고등학교 국어는 실전입니다. 문제 하나에 당락이 결정됩니다. 대학이 바뀝니다. 그렇지만 국어 학원에 몇 달을 다녀도 한 문제 더 맞히기가 어려워요. 독해력은 몇 달의 시간으로 완성되지 않거든요. 초등부터 중등을 거쳐 꾸준히 역량을 키워야 하는 공부가 국어입니다.

국어 공부의 토대는 독서에서 나옵니다. 독서는 고등 때도 이어집니다. 특히 중 3 겨울방학에는 고등 국어를 위해 전략적인 독서를 권합니다. 고등학교에 들어가면 수행평가, 지필 평가, 비교과 활동으로 독서를 할 시간이 충분하지 않아요. 비교적 여유가 있는 예비 고 1 겨울에 고교 필독 문학 작품과 비문학 책을 되도록 많이 읽습니다. 읽은 후에는 핵심 주제, 작가 의도, 감상평 등을 적으며 별도의 공책에 정리해 둡니다. 고등 국어 시험을 위한 귀한 자료가 됩니다.

고등 시험은 내신과 수능을 모두 준비해야 합니다. 중학교 때보다 학습량이 많아지고 어려워집니다. 등급을 가르기 위해 시험에 고난도 문제가 필수로 들어갑니다. 그 문제를 맞히느냐 아니냐에 따라 최상위 등급이 갈립니다. 우수한 성적을 위해선 초등·중학교와 마찬가지로 수업에 먼저 철저해야 합니다. 교과서를 열 번 보고 또 보며, 구석에 있는 내용조차 완벽하게 이해해야 합니다. 다양한 장르의 문학 감상법, 비문학 독해법, 체계적인 문법 등 수업 시간에 배운 내용을 스스로 익히고 자기 것으로 만들어야 합니다. 방대한 학습량이기에 벼락치기로 불가능합니다. 평소 복습하며 매일 공부해야 해요.

초등·중학교와 달라서 고등 시험은 문제 풀이가 필수입니다. 학교마다 다르지만, 대부분의 고등학교 국어 시험은 교과서 밖의 지문이 실리기도 합니다. 교과서에서 배운 내용을 다른 지문에 어떻게 활용할 수 있는지를 가늠하기 위해서입니다. 따라서 교과서를 완전하게 알고 있다면 기출 문제, 모의 문제, 교육 방송 교재 등 여러 종류의 문제를 풀며 실전 감각을 키워야 합니다. 문제를 풀고 오답을 점검하는 과정을 반드시 거쳐야 해요. 여러 문제를 접하면 문제 유형이 눈에 보이고 문제 해결력이 길러집니다. 제한 시간 내에 풀어내는 연습도 가능합니다.

수능 시험은 내신과 결이 조금 다릅니다. 생소한 지문으로 아이들을 당혹스럽게 만듭니다. 특히 아이들은 비문학 지문에서 고전을 면치 못합니다. 고교 교육 과정 안에서 출제한다고 하지만, 처음 보는 전문 용어를 시험장에서 본다면 머리가 멍해지고 다른 문제에까지 영향을 미칩니다. 평소 신문 사설이나 칼럼을 읽는 습관은 비문학 문제 풀이에 도움이 됩니다. 아침마다 한 쪽짜리 정제된 비문학 글을 읽는다면 배경지식도 쌓으며 비문학 독해력 향상에도 긍정적인 영향을 줄 수 있습니다. 사설이나 칼럼을 읽고 핵심 내용을 요약하고 모르는 어휘를 따로 정리해 둔다면 수능 공부에 더욱 효과적입니다.

아침 아홉 시부터 오후 다섯 시까지 학교에 있는 고등학생은 책을 읽을 시간이 부족합니다. 그럼에도 진로를 위한 독서, 학생부를 위한 독서, 상식을 위한 독서를 해야 합니다. 실제 상위 1%의 학생들은 내신과 수능 공부를 하면서도 독서를 소홀히 하지 않습니다. 독서 이력이 독해력은 물론 학생부에도 활용되며 입시와 직결된다는 걸 알고 있기 때문입니다.

초등 수학 공부 · 기본 전략

개념 이해를 바탕으로 수학적 사고력 키우기

'영포자', '국포자'라는 말도 있지만, 유독 '수포자'라는 말이 익숙합니다. 그만큼 수학이 어렵고 한번 기초를 놓치면 다시 시작하기 어렵기 때문이겠지요. 초등학교 6학년 열 명 중 한 명이 수포자라고 해요. 중학교에서는 열 명 중 둘입니다. 고등학교에서는 어떨까요? 세 명 중 두 명이 수포자입니다. 고 2 정도 되면 수학 시간에 엎드려 있는 아이들을 심심치 않게 봅니다.

최상위권 아이들의 경우 수학 한두 문제로 대학의 이름이 바뀌는 게 현실입니다. 수학은 다른 교과보다 변별력이 높아 그만큼 많은 노력이 필요하지요. '수포자'라는 말은 갈 수 있는 수많은 대학을 포기한다는 말과 같아요. 초등 시기부터 수포자를 만드는 일은 없어야 합니다. 잠재력이 많은 초등 아이들이기에 수학을 절대 포기하지 않았으면 합니다.

초등학교 수학의 교과 내용은 '수와 연산', '도형', '측정', '규칙성', '자료와 가능성' 5개 영역으로 구성됩니다. 간단한 사칙 계산부터 분수, 넓이, 부피의 측정, 비례식, 자료의 수집 등 다양한 수학적 개념을 다룹니다. 이러한 개념은 중학교와 고등학교 수학까지 연계되어 있어요. 초등학교에서 수포자가 되면 중·고등학교에서까지도 수포자가 될 가능성이 큽니다. 입시 수학의 바탕이 되는 수학을 초등부터 단단하게 다져야 합니다.

고등학교 수학이 워낙 어렵다고 하니 초등학교부터 선행이 필수 코스인 것처럼 느껴집니다. 실제로 이제 막 입학한 일반 인문계 고 1 아이들에게 물어보면 반 정도는 이미 고 2 수학까지 배웠다고 해요. 하지만 선행을 열심히 한 아이들의 제 학년 성적은 5등급에 머무릅니다. 선행도 해야 하고, 현행도 해야 하니 복잡하고 갈피를 못 잡고 있습니다.

선행이 절대적으로 나쁜 건 아니에요. 내신 1, 2등급인 아이들은 선행에 부담을 갖지 않습니다. 수학이 재미있어서 초등·중학교 시절부터 자발적으로 선행하는 아이들도 있고요. 이 아이들은 수학의 개념, 원리, 법칙을 이해하고 추론하는 학습 방식에 잘 적응합니다. 꾸역꾸역하는 것과는 다릅니다. 힘들더라도 수학적 활동에 성취감을 느끼지요.

선행은 아이의 현재 수준이 기준입니다. 선행보다 지금 학교에서 배우는 학습 내용을 완벽히 아는 것이 먼저입니다. 선행은 아이가 부담스럽지 않게 공부하며 수학에 대한 흥미와 자신감을 유지하는 수준으로 해야 합니다. 학교 진도에 어려움을 느낀다면 더욱이 선행은 소용이 없습니다. 아이 수준에 맞게 적절한 설명과 격려로 수업에 재미를 갖도록 해주는 것이 우선입니다.

한 학년 위의 문제집을 한 권 푼다고 해서 그 학년에서 배워야 할 개념을 다 이해했다고 보긴 어렵습니다. 단원 평가에서 백 점을 맞았다고 고등학교 1등급이 되라는 보장도 없습니다. 개념을 꼭꼭 씹고 소화해야 합니다. 수학 원리와 개념을 어떻게 활용할 수 있는지 생각하고 응용할 수 있는 학습 태도를 충분히 길러야 합니다. 초등 시기엔 장기적인 안목으로 기초를 다지고 수학 공부 머리를 틔워주는 데 집중하세요.

| 학년이 오를수록 성적도 오르는 초등 수학 공부 전략 |

읽기	어휘	생각하기	쓰기
• 수학 교과서 읽기 • 문장제 수학 문제 읽기 • 수학 연계 독서	• 어휘는 개념 • 수학 개념 사전 활용	• 수학으로 생각하기 • 심화 문제로 사고력 키우기	• 백지에 개념 쓰기 • 문제 풀이 쓰기 • 오답 노트 쓰기

| 2015 개정 교육 과정 초등 수학 내용 체계 및 내용 요소 |

수학	내용 요소		
학년 영역	1~2학년	3~4학년	5~6학년
수와 연산	• 네 자리 이하의 수 • 두 자리 수 범위의 덧셈과 뺄셈 • 곱셈	• 다섯 자리 이상의 수 • 분수 • 소수 • 세 자리 수의 덧셈과 뺄셈 • 자연수의 곱셈과 나눗셈 • 분모가 같은 분수의 덧셈과 뺄셈 • 소수의 덧셈과 뺄셈	• 약수와 배수 • 약분과 통분 • 분수와 소수의 관계 • 자연수의 혼합 계산 • 분모가 다른 분수의 덧셈과 뺄셈 • 분수의 곱셈과 나눗셈 • 소수의 곱셈과 나눗셈
도형	• 평면도형의 모양 • 평면도형과 그 구성 요소 • 입체도형의 모양	• 도형의 기초 • 원의 구성 요소 • 여러 가지 삼각형 • 여러 가지 사각형 • 다각형 • 평면도형의 이동	• 합동 • 대칭 • 직육면체, 정육면체 • 각기둥, 각뿔 • 원기둥, 원뿔, 구 • 입체도형의 공간 감각
측정	• 양의 비교 • 시각과 시간 • 길이(cm, m)	• 시간, 길이(mm, km), 들이, 무게, 각도	• 원주율 • 평면도형의 둘레, 넓이 • 입체도형의 겉넓이, 부피 • 수의 범위 • 어림하기(올림, 버림, 반올림)
규칙성	• 규칙 찾기	• 규칙을 수나 식으로 나타내기	• 규칙과 대응 • 비와 비율 • 비례식과 비례배분
자료와 가능성	• 분류하기 • 표 • ○, ×, /를 이용한 그래프	• 간단한 그림그래프 • 막대그래프 • 꺾은선그래프	• 평균 • 그림그래프 • 띠그래프, 원그래프 • 가능성

▪ 출처: 초등 2015 개정 교육 과정

수학 교과서 읽기

수학은 〈수학〉과 〈수학 익힘〉 두 개의 교과서로 구성되어 있습니다. 〈수학〉 교과서는 개념 설명과 간단한 문제가 실려 있습니다. 〈수학 익힘〉은 〈수학〉 교과서에서 배운 개념을 활용하여 푸는 문제집이라고 할 수 있어요. 아이들은 학교에서 〈수학〉 교과서로 개념을 배우고 〈수학 익힘〉 교과서로 개념을 제대로 이해했는지 문제를 통해 확인합니다. 〈수학 익힘〉을 수업 시간에 활용하기도 하지만, 선생님에 따라 숙제로 내주기도 합니다.

이 두 개의 교과서를 적극적으로 활용하세요. 〈수학〉 교과서를 꼼꼼히 읽으며 복습합니다. 수학은 단원명이 곧 학습 목표예요. 예를 들면 2학년의 '곱셈 구구', 5학년의 '약분과 통분' 등 단원명만 읽어도 어떤 내용의 개념을 학습할지 짐작할 수 있습니다. 교과서의 개념은 기본 중의 기본이기에 완벽히 알아두는 것을 목표로 교과서를 정독합니다.

〈수학 익힘〉 문제도 빠뜨리지 않고 풉니다. 다른 문제집을 푸는 것보다 〈수학 익힘〉을 푸는 것이 우선입니다. 〈수학 익힘〉 문제집의 난이도는 어렵지 않은 수준입니다. 학교에서 배운 내용을 이해했다면 충분히 풀 수 있는 기본적인 문제들입니다. 그날 배운 내용은 그날 완전히 학습하도록 습관을 들여 보세요.

기본적인 문제여도 아이는 헤매고 풀어내지 못할 수 있어요. 배우는 과정이기에 틀리는 건 당연합니다. '이렇게 기본적인 것도 못 풀어!'라며 나무라지 말고 왜 틀렸는지 생각하게 합니다. 단순한 연산 실수인지, 개념 이해가 덜 되어서인지 이유를 찾고 다시 풀도록 합니다. 고학년이 아니라면 오답 노트까지는 쓸 필요가 없습니다. 충분히 이해하고 배우는 데 힘쓰도록 하세요.

학습 목표에 맞게 개념을 잘 이해하고 〈수학 익힘〉 교과서를 무리 없이 푼다면 별도의 문제집을 풀어도 좋습니다. 하루 한 장 정도 진도에 맞게 복습처럼 문제를 풉니다. 학습 내용을 익숙하게 잘 따라간다면 학년이 오르면서 문제집 공부량을 조금씩 늘려보세요. 모든 공부가 그렇지만, 아이가 싫어하고 괴로워하지 않게 수학에 흥미를 느끼도록 양과 수준을 조절합니다. 초등은 천천히 가도 괜찮습니다. 현재 진도와 학업 성취에 집중하세요.

문장제 수학 문제 읽기

〈수학 익힘〉을 보면 단순한 연산 문제도 있지만, 문장으로 서술된 문제가 눈에 띕니다. 아이들은 잘 가다가도 문장으로 설명된 문제 앞에서 주춤합니다. 수식으로 된 문제를 풀기도 힘든데, 긴 글이 나오니 부담입니다. 문제 자체를 이해하기 힘들어 풀지 못하는 경우가 허다합니다. 천천히 다시 읽어봐도 무엇을 요구하는지 찾기가 어렵습니다. 연산을 잘하는 아이들도 곤혹스러워하는 것이 문장제 수학 문제입니다. 고학년으로 갈수록 문제의 글이 길어지고 문장제 문제의 빈도수가 높아집니다. 아이들의 사고가 성장하는 수준에 맞추어 교과서 구성이 되어 있기에 그렇습니다.

| 문장제 수학 문제 예시 |

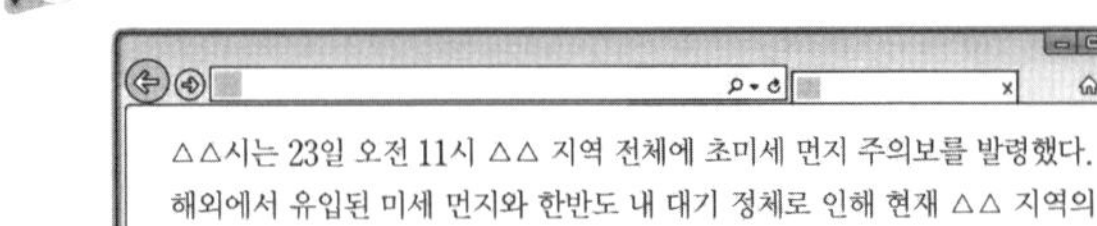

5 □ 안에 알맞은 수를 써넣으세요.

△△시는 23일 오전 11시 △△ 지역 전체에 초미세 먼지 주의보를 발령했다. 해외에서 유입된 미세 먼지와 한반도 내 대기 정체로 인해 현재 △△ 지역의 초미세 먼지 농도는 □ 마이크로그램으로, 이는 우리나라 환경부의 초미세 먼지 24시간 기준치(35 마이크로그램)보다 2.3배 높은 수준이다. △△시는 가급적 실외 활동을 자제하고 미세 먼지 마스크를 착용할 것을 권유했다. 짙은 미세 먼지 농도는 대기 확산이 원활해지는 오후 늦게부터 점차 낮아질 것으로 전망된다.

(출처: 뉴스1코리아, 2019. 1. 23.)

▪ 출처: 5학년 2학기 〈수학 익힘〉

글로 된 문제를 읽으며 머릿속에 어떤 개념을 사용할지, 어떤 수식을 만들지 떠올려야 합니다. 그러나 문제 자체를 제대로 읽어내지 못하니 여러 번 읽고도 식을 세우지 못합니다. 해설 답안지를 들춰보고 '아, 이렇게 푸는구나.'라며 확인하고는 덮어 버립니다. 다음에 똑같은 문제를 본다면 스스로 식을 세우지 못합니다.

'수학도 국어'라는 말이 이 문장제 문제 때문에 나온 말이에요. 학년에 맞추어 독서 실력이 탄탄한 아이들은 수학 문장제 문제도 잘 읽어냅니다. 문장제 문제도 글이기 때문에 독해력이 필요합니다. 국어처럼 서사가 긴 글이 아니어도 독서를 한 아이와 하지 않은 아이는 문장제 문제를 푸는 역량에서 차이를 보입니다.

문장제 수학 문제가 국어 지문과 다른 부분은 문제를 식으로 변환할 수 있어야 한다는 것입니다. 문제가 곧 식이기 때문입니다. 그러기 위해서는 문제를 끊어 읽는 것이 도움이 됩니다. 문장을 하나씩 끊어 읽고 문장 속에 등장하는 숫자에 유의합니다. 이 숫자가 정답을 도출하는 과정에 무엇을 의미하는지 파악합니다. 이때 문제를 읽으며 빈 공간에 숫자, 도표, 그림으로 표현하면 이해가 쉽습니다. 활용하고자 하는 개념을 떠올리며 문장을 단순하게 요약합니다. 마지막으로 수식으로 표현하고 문제를 풉니다.

충분한 시간을 두고 문제를 풀어야 해요. 시간에 쫓겨서 문제를 읽으면 위와 같은 일련의 과정을 한꺼번에 할 수 없습니다. 자꾸 해설 답안지만 찾게 되고 이후 계속되는 문장제 문제에서 똑같이 고전을 면치 못합니다. 꼼꼼히 읽고 분석하며 수식으로 단순화하는 과정이 습관이 되도록 충분히 시간을 주세요.

수학 연계 독서

요즘의 수학 교과서는 딱딱한 개념 설명이 아닌 매력적인 이야기로 구성되어 있습니다. 캐릭터 주인공이 서로 대화하며 개념을 설명합니다. 아이들의 흥미를 북돋고 이해를 돕습니다. 이러한 구성은 수학의 호감도를 높입니다.

교과서만이 아니라 시중에 수학에 대한 흥미와 사고력을 높여주는 다양한 책들이 있어요. 교과서보다 더 쉽고 재미있는 형식으로 꾸며진 책들이 즐비합니다. 수학 독서는 꼭 필수는 아니지만, 아이의 수학적 감각을 높이고 배경지식을 쌓는 데 도움이 됩니다.

숫자, 도형, 기호 등의 추상적인 개념으로 이루어진 수학은 아이들에게 낯설고 어렵게 느껴집니다. 이때 수학 동화나 수학 학습 만화책을 먼저 접하면 수학에 대한 좋은 인상을 남기게 됩니다. 수학이 우리 삶에 어떻게 활용되는지, 수학을 배우는 이유는 무엇인지, 유명한 수학자는 누구인지 등을 책을 통해 알 수 있습니다. 학교에서 배우는 사칙 연산, 도형, 수학 이론 등을 경험하는 기회도 되지요.

수학 만화든 수학 동화든 상관없습니다. 아이의 취향과 독서 능력에 따라 흥미를 보이는 수학 독서를 권해 주세요. 수학에 별 흥미를 보이지 않는다면 그림과 캐릭터가 등장하는 학습 만화책부터 보여 주세요. 생활 속 수학을 설명하는 그림책도 재미있어할 겁니다. 줄글 책을 잘 읽는다면 수학 동화나 수학자를 설명하는 책도 관심 있게 읽습니다. 학년이 오르면 수학자와 수학 개념을 다루는 책을 접하며 수학 지식을 쌓습니다.

책을 선정할 때는 학교에서 배울 개념에 대한 예습용으로 책을 골라보세요. 아이가 부담 없이 읽도록 합니다. 책을 읽고 무엇을 배웠으면 하는 생각보다 가볍게 친밀도만 높여준다 생각하세요. 개념과 이론은 학교에서 정확하게 배웁니다. 아이는 가뿐한 수학 독서만으로도 학교 수업에 한결 쉽게 다가갈 겁니다.

어휘는 개념

초등 수학은 연산만 잘하면 된다고들 단정합니다. 사칙 연산만 수월하게 하면 다 알 거라고 착각하지요. 수학에는 숫자만 나오지 않습니다. 덧셈, 뺄셈에서 시작해 약분, 통분, 비례식, 겨냥도 등 어려운 용어가 심심치 않게 등장합니다.

수학은 연산 이전에 개념의 이해가 정확하게 확립되어야 해요. 교과서의 단원명으로 나오거나 자주 사용되는 어휘는 꼭 알고 있어야 합니다. 수학 어휘를 자주 말하고 설명해 주세요.

"많이 들어봐서 알아요."라고 말해도 직접 설명해 보라고 하면 아이는 주저할 수 있습니다. 어휘의 뜻을 명확하게 설명할 수 있어야 합니다. 그래야 자기 지식입니다.

학년별로 핵심이 되는 수학 어휘를 보여 드릴게요. 다음에 오는 '초등 수학 학년별 핵심 어휘'(135쪽 표)는 반드시 숙지해야 합니다.

| 초등 수학 학년별 핵심 어휘 |

	1~2학년	3~4학년	5~6학년
수와 연산	덧셈, 뺄셈, 곱셈, 짝수, 홀수, +, −, ×, =, 〉, 〈	나눗셈, 몫, 나머지, 나누어떨어진다, 분수, 분모, 분자, 단위분수, 진분수, 가분수, 대분수, 자연수, 소수, 소수점(.)	약수, 공약수, 최대공약수, 배수, 공배수, 최소공배수, 약분, 통분, 기약분수
도형	삼각형, 사각형, 원, 꼭짓점, 변, 오각형, 육각형	직선, 선분, 반직선, 각, (각의) 꼭짓점, (각의) 변, 직각, 예각, 둔각, 수직, 수선, 평행, 평행선, 원의 중심, 반지름, 지름, 이등변삼각형, 정삼각형, 직각삼각형, 예각삼각형, 둔각삼각형, 직사각형, 정사각형, 사다리꼴, 평행사변형, 마름모, 다각형, 정다각형, 대각선	합동, 대칭, 대응점, 대응변, 대응각, 선대칭도형, 점대칭도형, 대칭축, 대칭의 중심, 직육면체, 정육면체, 면, 모서리, 밑면, 옆면, 겨냥도, 전개도, 각기둥, 각뿔, 원기둥, 원뿔, 구, 모선
측정	시, 분, 약, cm, m	초, 도(°), mm, km, L, mL, g, kg, t	이상, 이하, 초과, 미만, 올림, 버림, 반올림, 가로, 세로, 밑변, 높이, 원주, 원주율, cm^2, m^2, km^2, cm^3, m^3
규칙성			비, 기준량, 비교하는 양, 비율, 백분율, 비례식, 비례배분, : , %
자료와 가능성	표, 그래프	그림그래프, 막대그래프, 꺾은선그래프	평균, 띠그래프, 원그래프, 가능성

▪ 출처: 초등 2015 개정 교육 과정

수학은 위계적 학문입니다. 이전 학년에서 배운 개념이 다음 학년의 바탕이 됩니다. 예컨대, '약분'을 배우려면 '나누다'와 '분수'의 개념을 알고 있어야 해요. '약분'은 분수의 분자와 분모를 공약수로 나누어 간단한 분수로 바꾸는 과정을 말하기 때문입니다. 정사각형을 알아야 다음 학년에서 정육면체를 이해할 수 있습니다. 지름이 무엇인지 알아야 원의 넓이도 구하고 원뿔이 무엇인지도 배울 수 있습니다.

수학의 핵심 어휘를 보면 한자어가 대부분입니다. '약분約分, 통분通分, 백분율百分率' 등 한자로 이루어진 낱말이에요. 어려운 한자는 잘 알지 못하더라도 '분分'이 '나누다'라는 의미를 알고 있다면 개념 이해가 훨씬 수월해집니다. 수학에서 자주 활용되는 한자의 뜻을 익히게 도와주세요. 중학교에 올라가서도 개념을 습득하는 데 유용합니다.

수학 어휘는 곧 개념입니다. 개념은 기본이에요. 기본 뼈대 없이 짓는 집은 높이 올릴 수가 없지요. 제 학년에 맞는 핵심 어휘를 완전하게 이해해야 해요. 학년이 올라갈수록 핵심 어휘가 많아지고 난도도 높아지기에 부실하게 쌓은 어휘력을 보충하기가 쉽지 않습니다. 교과서에 나오는 숫자보다 개념 어휘를 더 꼼꼼히 점검하세요.

수학 개념 사전 활용

수학 개념은 어렴풋이 아는 게 아니라 정확하게 알아야 합니다. 아이가 수학 어휘의 뜻을 묻는데 어떻게 설명해야 할지 난처할 때는 수학 개념 사전을 활용하세요.

〈개념연결 초등수학사전〉(비아에듀), 〈초등수학 개념사전〉(아울북), 〈와이즈만 수학사전〉(와이즈만북스), 〈초등수학 개념사전 62〉(행복한나무) 등의 수학 개념 사전은 초등에서 다루는 개념을 자세히 설명하고 있습니다. 학년별, 단원별, 영역별로 주제에 맞는 어휘가 구성되어 있습니다. 아이들의 눈높이에 맞추어 쉬운 해설과 다양한 예시가 있어서 수학 어휘력 향상에 도움이 됩니다.

| 초등 수학 개념 사전 |

도서명	출판사
개념연결 초등수학사전	비아에듀
초등수학 개념사전	아울북
와이즈만 수학사전	와이즈만북스
초등수학 개념사전 62	행복한나무

문제집 푸는 것처럼 처음부터 끝까지 차례대로 공부할 필요는 없어요. 아이가 유독 어려워하는 부분, 궁금해하는 개념 등을 부분적으로 선택해서 읽습니다. 모르는 낱말이 있으면 국어사전을 활용했던 것처럼 말이지요. 아이가 수학 개념을 익히거나 문제를 풀 때 모르

는 용어가 나오면 수학 개념 사전을 펼칩니다. 개념의 정의와 용법을 읽습니다. 설명에 쓰인 한자도 두루 살피며 익힙니다. 예시와 활용을 함께 보면 이해가 쉬워집니다.

평소 아이가 심심하면 펼쳐보고 궁금하면 스스로 찾도록 자주 노출해 주세요. 주도적으로 사전을 찾다 보면 수학이 재미있는 과목으로 인식됩니다. 일석이조로 수학의 기반도 튼튼하게 다질 수 있어요. 계통성이 짙은 학문인 만큼 수학에 대한 지적 호기심이 높아지면 다음 학년에 연계되는 개념이 무엇인지도 궁금해할 거예요. 중학교용 수학 사전도 있으니 함께 활용하며 수학 어휘력에 날개를 달아 주세요.

수학으로 생각하기

혹시 중·고등학교 때 '수포자'였나요? 학창 시절을 돌이켜보면 수학은 참 만만치 않은 과목이었습니다. 재미가 있기보다 신물이 났던 기억이 선명합니다. 내 아이는 그런 고통을 겪지 않았으면 해서 하루라도 어릴 때 수학 공부를 시키고 있을 수도 있어요.

일이든 놀이든 공부든 신나서 하는 아이를 이길 수는 없습니다. 실제 고등학교에서 1등급을 차지하는 아이들의 대부분은 심심풀이로 수학 문제를 푼다고 합니다. 수학 문제를 풀어내면 쾌감을 느낀다고 해요. 수학이 재미있다고 말합니다. 그 아이들의 초등 시절 수학은 공부가 아니라 놀이였습니다.

아이가 수학을 지겨운 문제 풀이가 아닌 개념을 가지고 노는 놀이로 여겼으면 합니다. 적어도 초등 시기에는 말이지요. 그러기 위해서는 문제 풀이를 넘어 수학의 의미를 깨달아야 해요. 생활 주변과 자연 현상을 수학적으로 이해하고 삶에서 수학적 요소를 탐색하는 경험이 필요합니다. 수학은 매력적인 학문이라는 정서를 길러 주세요.

문제집보다 다음 내용을 더 살펴 주세요.

첫째, 개념 암기 이전에 개념 이해를 도와주세요. 수학 전문가들은 수학은 개념 이해가 전부라고 말합니다. 어떤 새로운 유형의 문제가 나와도 해결할 수 있으려면 개념 이해가 필수라는 의미예요. 문제를 푸는 스킬이 아닌 수학적 지식과 기능을 전략적으로 활용해 해결 방안을 찾는 능력을 길러야 합니다. 개념, 원리, 법칙을 배울 때 '왜 이런 이론이 나왔을까?'라는 질문을 할 수 있어야 해요. 무작정 외우는 구구단이 아니라 곱셈의 원리를 가르쳐 주어야 합니다. 원주율이 3.14라고 외우기 전에 원의 둘레 길이와 지름이 원의 크기와 상관없이 일정한 비가 성립하게 되는 이유를 찾아야 합니다.

둘째, 생활에서 수학을 접하게 하세요. 수학은 삶에 도움이 안 된다고들 하죠. 미분이니, 적분이니 돌이켜보면 기억에 남는 게 하나도 없습니다. 부모 세대는 암기식으로 수학을 배워서 그렇습니다. 수학이 없으면 요리도 건축도 애니메이션 제작도 어렵습니다. 단순히 음식점에서 돈을 계산하는 것에서 나아가 수학적 사고로 주변을 관찰하도록 도와주세요. 얼룩말의 무늬, 솔방울에서 수학을 발견하며 수학의 재미를 느끼게 해 주세요.

셋째, 손으로 만들고 그림을 그리세요. 미술처럼 말이지요. 사람은 단순히 듣는 것보다 자신이 직접 만들고 경험한 것을 잘 기억합니다. 시각화된 이미지는 텍스트보다 머릿속에 오래 남아요. 다양한 도형을 많이 만들어 보고 그림과 그래프를 그리며 직관적으로 수학을 이해하도록 합니다. 이러한 과정은 수학의 매력을 알게 합니다. 추상적인 수학의 개념, 원리, 법칙을 즉각적으로 이해하는 데 도움이 됩니다.

넷째, 수학에 대해 긍정적인 인식을 심어 주세요. 수학은 높은 산과 같지만, 때로는 높은 산도 만만하게 생각하는 배포가 필요합니다. "엄마는 수포자였어. 수학은 진짜 어려워."라며 겁을 줄 필요는 없습니다. "수학은 배울수록 재미있어.", "수학은 우리 생활 곳곳에 있어.", "우리 아들(딸), 잘할 수 있어."라며 긍정적인 생각을 전달하세요. 수학은 어려워도 해볼 만한 것이라는 정서가 자리 잡도록 수학에 대한 호감을 표시해 주세요.

수학을 이제 막 처음 접하는 아이들입니다. 부모의 기준에서 판단하지 말고 아이의 수학 공부 정서를 안정적으로 만들어 주세요. 삶 가까이에서 직접 보고 만지며 수학을 느끼도록 하세요. 반복적인 문제 풀이에서 벗어나 수학으로 바라보는 눈과 생각하는 머리를 가꾸어 주세요.

심화 문제로 사고력 키우기

교과서의 학습 내용을 충분히 이해하고 〈수학 익힘〉을 잘 푼다면 시중에 있는 수학 문제집으로 응용력을 키웁니다. 1, 2학년은 '기본' 문제집만 풀어도 괜찮아요. 시시하다고 느낄 정도의 학습량으로 거부감 없이 수학의 흥미를 높여주는 게 우선입니다. 3학년부터는 개념, 원리, 법칙의 이해를 바탕으로 '개념'과 '응용' 수준의 문제집으로 아이의 수학 실력을 확인합니다.

아이가 문제를 풀 때는 정답을 적어 내는 것보다 풀이 과정에 집중합니다. 문제를 정확하게 이해하고 명쾌한 개념, 원리, 법칙을 활용하는지 살펴봅니다. 해설지에 있는 풀이 과정과 같지 않아도 아이가 창의적인 방법으로 풀어냈다면 틀린 것은 아닙니다. 시간이 걸리고 돌아갔을지언정 스스로 생각하고 풀어낸 것이니 칭찬해 주세요.

틀린 문제는 바로 가르쳐 주지 않고 다시 한번 생각하며 풀게 합니다. 풀이 과정에서 무엇이 잘못되었는지 아이가 직접 발견하고 고칠 기회를 주세요. 틀린 문제를 며칠이 지난 후 다시 고민하며 풀어보는 것도 추천합니다. 그러면 이전에 생각나지 않았던 풀이 방법이 새롭게 떠오를 수 있거든요.

'응용' 문제집의 정답률이 70%가 넘는 아이들은 심화 문제에도 도전해 보세요. 아이들의 사고력이 성장하는 고학년부터 심화 문제집을 권합니다. 고등학교 수학에서 1등급을 맞으려면 소위 킬러 문제라고 하는 최고 난도 문제를 풀어내야 합니다. 기계적인 문제 풀이로 완성할 수 없습니다. 수학 문제 해결력이 최고조로 발휘되어야 풀 수 있는 문제입니다. 초등부터 천천히 수학적 사고력을 높이며 연습해 보는 겁니다.

심화 문제를 푸는 목적은 정답을 빨리 내는 데 있지 않습니다. 문제 하나를 풀어도 스스로 끙끙대며 정확한 개념, 원리, 법칙을 활용하여 생각을 도출하는 데 있습니다. 한 번 풀어 보고 잘 안 풀린다고 해설 답안지부터 보면 심화 문제를 푸는 효과가 없습니다. 한 문제라도 좋으니 시간적 여유를 갖고 이 방법, 저 방법 써 가며 문제를 해결하려고 노력해야 합니다.

심화 문제를 풀 때 '아무리 생각해도 모르겠어요.'라며 아이가 힘들어할 수 있습니다. 이때는 바로 풀이와 답을 알려 주지 말고 힌트를 하나씩 주세요. 사고의 물꼬를 틔워 줍니다. 아이가 스스로 풀이 방법을 생각해야 수학적 문제 해결력이 키워집니다. 주입식으로 가르쳐 주는 문제 풀이를 조심하세요. 직접 풀어봐야 다음 문제도 스스럼없이 도전합니다.

초등 수학은 빨리 가는 것보다 깊이 있게 공부하는 것이 더 중요합니다. 빨리 간다고 먼저 수능을 보지는 않아요. 고등학교에서 수학 1등급을 받길 원한다면 속도보다 심도에 힘을 쏟으세요. 포기하지 않고 깊이 있게 오래 가는 방법입니다. 자기 수준보다 조금 어려운 문제를 풀어 보며 수학적 사고와 역량을 키워 주세요. 난도 높은 문제도 자신감 있게 풀어내야 고등에서도 실력 발휘를 할 수 있습니다. 초등은 수학 머리를 틔워 줄 골든 타임이라 생각하고 아이의 수학 문제 해결력에 깊이를 더하세요.

이와 더불어 1학년부터 6학년까지 연산 실력은 수학 자신감의 바탕이 됩니다. 아무리 사고력을 키우고 깊이 있는 문제 풀이 방법을 알아도 계산 실수로 틀려 버린다면 오답이 되고 맙니다. 제시간 안에 정확하게 연산하는 능력이 필요해요. 매일 열 문제라도 좋으니 제 학년에 맞추어 연산 문제집을 풀며 연산의 속도와 정확성을 모두 잡으세요.

백지에 개념 쓰기

수학은 개념 이해가 핵심이라고 강조했습니다. 아이가 개념을 제대로 이해했는지 확인 가능한 방법을 알려드립니다. '백지에 개념 쓰기'를 활용하세요. 이 방법은 수학뿐 아니라 사회, 과학에서도 활용 가능합니다. 그리고 중·고등학교에서도 효과 높은 공부 방법입니다. 우등생들의 필수 공부 방법이니 초등부터 습관을 들이면 좋습니다.

백지에 개념 쓰기는 말 그대로 빈 종이에 알고 있는 개념을 쓰는 것입니다. 초등 3~4학년부터 추천합니다. 개념은 보고 쓰는 것이 아니라 머릿속에 있는 지식을 꺼내어 써야 합니다. 따라서 개념에 대한 충분한 이해와 암기가 선행되어야 합니다. 하나의 단원이 끝나고 정확하게 개념을 이해했는지 확인할 때 활용해 보세요. 또는 단원 평가 전에 그 단원의 학습 내용을 점검하기에 유용합니다.

우선, 목차와 주요 큰 제목을 떠올리면 무엇을 써야 할지 정리가 됩니다. 마인드맵처럼 한 단원의 개념 내용을 큰 것에서 작은 것으로 분류하며 정리합니다. 예를 들면 '약수와 배수' 단원에서 '약수'와

'배수'가 무엇인지 쓰고, '약수' 개념에서 뻗어 나가 '공약수'를 설명하고 '최대공약수'가 무엇인지 쓸 수 있어야 합니다. 마찬가지로 '배수'에서 가지를 쳐서 '공배수'와 '최소공배수' 용어를 정리해야 합니다. 용어 설명과 함께 문제 풀이 방법까지 쓸 수 있으면 최고의 개념 쓰기가 됩니다.

제대로 개념을 알지 못하면 쓰기 어렵습니다. 자신이 알고 있는 것을 요약하고 정리할 수 있다면 학습 내용을 완전히 이해했다는 말이에요. 만약 쓰지 못한다면 교과서로 돌아가 개념 이해에 다시 초점을 맞추어야 합니다. 알고 있다는 착각에서 벗어나 진정한 자기 지식이 되도록 공부해야 해요.

처음부터 모든 것을 정확하게 쓰기는 어렵지요. 아이가 잘 쓰지 못한다고 지적하지는 마세요. 교과서에 나온 예시를 들려주거나 적절한 질문을 통해 아이가 개념을 상기하도록 격려해 주세요. 6학년까지는 '백지에 개념을 쓰는 활동 자체가 메타 인지를 높이는 방법'이라는 걸 경험하면 됩니다. 몇 번 하다 보면 아이의 지식도 다듬어집니다. 제대로 된 공부가 무엇인지 알게 됩니다. 직접 써 보지도 않고 '나는 알고 있어.'라고 잘못 판단한 채 공부하지는 않을 거예요.

문제 풀이 쓰기

수학 문제를 보기만 하고 풀이 없이 척척 답을 쓰는 아이들을 보면 신기합니다. 수학 천재 같아요. 그런데 이런 아이들이 꼭 서술형 평가에서 감점을 당합니다. 문제 풀이를 생략했기 때문이에요. 중·고등학교에서 보는 수학 서술형 평가는 정답만 채점하지 않습니다. 명확한 문제 풀이가 있어야 좋은 점수를 받게 됩니다. 대충 풀고, 부정확하게 쓰고, 생략해서 쓰는 습관이 들지 않게 초등 시기부터 문제 풀이 쓰기 습관을 잡아 주세요.

저학년부터 시작하세요. 교과서나 문제집의 비어 있는 공간에 풀이 과정을 빠뜨리지 않고 씁니다. 보기 좋게 정리합니다. 암산으로 했더라도 모든 풀이 과정을 꼭 써야 해요. 0과 6이 혼동되지 않게 반듯한 글씨로 씁니다. 바르게 쓴 숫자는 정확한 풀이에도 도움이 됩니다.

고학년은 풀이 과정이 길어집니다. 문제집의 여백 공간이 모자라요. 시중에서 수학 공책을 구입하세요. 무지로 된 한 장이 크게 네 칸으로 나누어진 공책입니다. 넓은 공간에 깔끔하게 정리하며 풀이 과정을 쓸 수 있습니다. 무지 노트에 줄 맞추어 쓰기 어렵다면 줄 공책을 네 칸으로 나누어 활용하세요. 고학년이 되어도 풀이 과정은 빼놓지 않고 모두 알아볼 수 있게 씁니다. 이렇게 수학 전용 풀이 공책을 활용하면 풀이 과정을 한눈에 볼 수 있고 오답이 생겼을 때 잘못된 풀이를 파악하는 데 도움이 됩니다. 오답의 근원을 찾기 때문에 교정하는 데도 효과적이지요.

문제가 요구하는 수식을 제대로 쓰는 습관을 길러 주세요. 문제 풀이를 제대로 쓰는 것만으로도 문제에 대한 이해도가 높아지고 수학적 역량이 길러집니다. 중·고등학교에서 시행되는 서술형 평가 준비도 자연스럽게 이루어집니다.

오답 노트 쓰기

수학은 알고 있는 개념, 원리, 법칙을 얼마나 정확하게 활용하는지가 관건입니다. 문제를 풀며 실력을 확인하다 보면 오답이 나오기 마련입니다. 오답을 제대로 이해하지 못하고 넘어가면 다음에도 풀지 못하게 되지요. 오답 노트를 작성하면 내가 모르는 문제를 다시 탐구하며 실력을 키울 수 있습니다.

이 오답 노트도 활용하기 적절한 시기와 방법이 있습니다. 초등 5~6학년부터 오답 노트 쓰기를 권합니다. 고학년이 되면 학습 내용이 깊어지고 중학교와 연계되어 놓치면 안 되는 개념이 다수 나오기 때문입니다. 중학교에 가서 오답을 꼼꼼히 챙기는 습관에도 도움이 되고요.

오답 노트에는 틀린 문제를 모두 적지 않습니다. 단순한 연산 실수나 지나치게 쉬운 문제까지 적는다면 시간이 많이 들고 비효율적입니다. 개념을 알고 있으나 수식이 떠오르지 않는 문제, 새로운 유형의 문제, 취약한 부분의 문제를 선별하여 오답 노트를 작성합니다.

문제를 적고 해답지를 보며 베끼면 공부가 되지 않아요. 문제를 적고 다시 풀어 보며 왜 틀렸는지 파악해야 합니다. 오답 문제는 반드시 시간 간격을 두고 다시 풀어봅니다. 일주일 뒤에 풀어도 제대로 된 풀이를 할 수 있어야 합니다.

노트에 틀린 문제를 적고 해설을 쓰고 새롭게 문제를 푸는 과정이 시간상 부담이 될 수 있어요. 꼭 노트에 문제를 다 베껴 쓸 필요는 없습니다. 오답 노트를 쓰는 목적은 틀린 문제를 아는 문제로 바꾸기 위함이니까요. 문제집에 틀린 이유를 적고 스캔 어플을 활용하여 틀린 문제를 pdf파일로 변환시켜 휴대폰에 모아 두었다가 다시 풀 수도 있어요. 자신에게 적합한 오답 노트 쓰기 방법을 찾아 활용하도록 합니다.

모든 과목에서 오답을 정답으로 바꾸는 과정은 꼭 필요합니다. 특히 수학은 더 그렇습니다. 오답 노트만 주기적으로 확인하고 풀어도 실력이 성장합니다. 중·고등학생은 시험 직전 오답 노트를 가장 우선하여 확인한다는 걸 기억하세요.

◆ 초등부터 고등까지 수학 공부 로드맵 ◆

초등 수학 공부 로드맵

앞서 다루었던 초등 수학 공부 로드맵을 표로 정리하였습니다. 읽기, 어휘, 생각하기, 쓰기 영역의 흐름을 보며 내 아이의 인지 발달에 맞게 활용하시길 바랍니다.

<table>
<tr><th colspan="2">학년
공부 전략</th><th>1~2학년</th><th>3~4학년</th><th>5~6학년</th></tr>
<tr><td rowspan="3">읽기</td><td>교과서 읽기</td><td colspan="3">학습 목표를 달성하도록 여러 번 꼼꼼히 읽기
〈수학 익힘〉 교과서의 문제는 완벽하게 풀기</td></tr>
<tr><td>문장제
문제 읽기</td><td colspan="3">독서를 통해 문장제 문제 읽기 능력 키우기
식으로 나타내며 문장제 문제 읽기</td></tr>
<tr><td>수학 연계
독서</td><td colspan="2">학교에서 배울 내용 연계하여 관련 도서 읽기
흥미를 일으키는 수학 만화, 수학 동화 읽기</td><td>수학자, 수학 이론과 개념을 다룬
도서 읽기</td></tr>
<tr><td rowspan="2">어휘</td><td>개념어</td><td colspan="3">내용 체계와 요소에 맞는 개념 완벽하게 익히기(127쪽 참조)</td></tr>
<tr><td>개념 사전
활용</td><td>흥미 위주로 찾기</td><td>정의와 용법,
예시 찾아보기</td><td>수학 이론 정리하며 찾기
중학교용 수학 사전 시도하기</td></tr>
<tr><td rowspan="4">생각
하기</td><td>수학으로
생각하기</td><td colspan="3">개념 암기 이전에 개념 이해하기, 생활에서 수학 접하기
수학 개념을 손으로 만들고 그려보기, 수학에 관한 긍정적인 인식 갖기</td></tr>
<tr><td>연산</td><td colspan="3">제 학년에 맞추어 연산 문제집 풀기</td></tr>
<tr><td rowspan="2">문제집
풀기</td><td colspan="3">아이 수준에 맞추어 문제집의 난도를 조절하기, 시간 여유를 갖고 고민하며 풀기</td></tr>
<tr><td>'기본' 수준의
문제집 풀기</td><td>'기본' '응용' 문제집으로
응용력 키우기</td><td>'기본' '응용' 문제집 정답률이
70% 이상이면 '심화' 문제집 도전하기</td></tr>
<tr><td rowspan="3">쓰기</td><td>백지에 개념
쓰기</td><td>–</td><td colspan="2">목차와 큰 제목을 생각하며 백지에 암기한 개념 쓰기</td></tr>
<tr><td>문제 풀이
쓰기</td><td colspan="2">교재의 빈 공간에 반듯하게 정리하며
문제 풀이 쓰기</td><td>수학 공책 활용하여 문제 풀이 쓰기</td></tr>
<tr><td>오답 노트
쓰기</td><td colspan="2">–</td><td>취약 부분의 문제를 선별하여
오답 노트 쓰고 다시 풀기</td></tr>
</table>

중학교 수학 공부 로드맵

중학교 수학도 초등학교와 마찬가지로 개념 이해가 관건입니다. 고등학교까지도 정확한 개념과 원리의 이해는 수학 공부의 바탕입니다. 개념을 제대로 이해했는지 백지 노트에 개념 쓰기를 통해 확인하고 지필 고사가 있는 기간에는 미리 문제 풀이를 하며 응용력도 키워야 합니다. 문제 풀이에서 틀린 문제는 오답 노트를 적극적으로 활용해야 해요. 취약한 부분이나 헷갈리는 문제를 따로 모아 다시 풀어 보며 수학 실력을 쌓아야 합니다.

내신 시험을 준비할 때에는 수업 중 배운 개념과 문제 풀이를 완벽히 알고 있어야 합니다. 더구나 내신 시험에는 수업 중 풀어본 문제만 나오지 않습니다. 알고 있는 개념을 자유자재로 응용할 수 있어야 하기에 기출 문제나 다른 문제집을 꼭 풀어야 합니다. 문제집을 통해 명확하게 알고 있는지 확인하고 부족한 부분을 파악하며 실전에 대비해야 합니다. 학교마다 시험의 난이도가 다르겠지만, 고등학교 수학을 위해 평소 중학교 수학 심화 문제집을 꾸준히 풀기를 권합니다. 단, 기본과 응용 수준의 문제를 푼 뒤에 말이지요.

초등학교 시기도 그렇지만, 중학교 시기는 방학을 이용하여 다음 학년 학습 내용을 미리 예습합니다. 한 학기에서 일 년 정도 미리 개념을 익히고 공부하면 학기 중 공부 부담이 덜합니다. 공부 깊이를 더해 골똘히 생각하며 풀 수 있는 심화 문제를 진득하게 풀며 수학적 사고력을 증진시킵니다.

고입을 위해서는 중 3 겨울 방학이 중요합니다. 고등학교 1학년에 배우는 수학은 중학교 3년 동안 배운 개념이 총망라되어 토대를 이룹니다. 중학교 3년 과정 중 놓치고 있는 부분이 있다면 반드시 메워야 합니다. 그리고 고 1 수학을 예습합니다. 고 1 수학은 중학교 수학과 달리 난도가 높아지고 공부할 분량이 방대합니다. 중학교 수학만 믿고 고등학교에 입학했다가는 따라가기 힘들어질지도 몰라요. 시간 여유가 되는 중 3 겨울 방학에는 수학에 힘써야 합니다.

고등학교 수학 공부 로드맵

초등부터 수학 선행이 성행하는 이유는 고등학교 수학 때문입니다. 계단식으로 점프한 방대한 학습량과 어려워진 학습 내용에 미리부터 대비하기 위함이죠. 아이가 잘 따라가 준다면야 선행하는 것이 나쁘지는 않습니다. 현재 배우는 학습에 부족함이 없고 앞으로 배울 내용을 완벽히 알고 있다면 부지런히 선행하세요. 고등학교 3년 동안 배우는 내용을 미리 두어 번 본 아이와 고등학생이 되어 처음 본 아이는 실력 차이가 있을 수밖에 없으니까요. 그래서 중학교 때 고등학교 선행을 하라고 권하기도 합니다. 다시 강조하지만, 현행이 부족함이 없을 때 말입니다.

웬만한 인문계 고등학교에서는 내신과 수능을 따로 구분하여 공부하지 않습니다. 내신도 등급 산출을 위해 심화 문제가 꼭 출제됩니다. 그 문제를 푸느냐 못 푸느냐에 따라 1등급과 2등급이 나뉩니다. 상위권 아이들은 킬러 문항을 맞추기 위해 심화 학습에 몰입합니다. 수능도 마찬가지예요. 4점짜리 문제의 정답률을 위해 피나는 노력을 하지요.

사실 고등학교 수학의 최상위에 있는 아이들 몇몇은 경지에 오른 듯 몇 달 동안 수학 공부에서 손을 놓고 있어도 심화 문제의 답이 보인다고 합니다. 이 아이들의 실력은 단순히 머리가 좋아서라기보다 초등부터 꾸준히 이어온 수학적 사고력 훈련 덕입니다. 깊이 있게 문제를 파고들고 수많은 문제를 풀며 수학적 문제 해결력을 길렀습니다. 머릿속에 있는 다양한 개념을 적재적소에 쓸 수 있게 되었습니다.

고등학교도 방학을 이용하여 다음에 배울 내용을 예습합니다. 심화 문제까지 파고듭니다. 고 3 시기에는 다른 과목도 챙겨야 하기에 수학에 매진하기 어렵습니다. 고 1, 고 2 여름·겨울 방학 시기에 체계적으로 계획을 세워 공부해야 합니다. 개념 이해부터 실전 문제 풀이까지, 또 제한 시간 안에 푸는 연습까지 꼼꼼히 챙겨야 합니다.

모든 공부가 그렇지만, 수학 공부도 방도는 없습니다. 꾸준한 시간 투자와 방대한 공부량, 사고력을 심화하는 공부가 있어야 해요. 고등학교 수학은 새롭게 아는 것 이상으로 익히는 과정에 시간을 할애해야 합니다. 고난도 문제를 정교하게 풀며 문제 해결력을 완성해 나가는 시기입니다. 고등학교에 가서 시작하고 완성하려면 늦습니다. 초등 시기부터 차근차근 수학 공부의 정석을 밟아 나가 주세요.

초등 영어 공부 · 기본 전략

학습 영어를 넘어 제2 언어로 정착하기

모든 과목을 통틀어 가장 먼저 사교육을 시키는 과목이 영어입니다. 영어 유치원, 어학원, 해외 영어 캠프 등 초등학교 입학 전부터 부모들은 영어에 열을 올립니다. 초등 때 힘주어 공부를 시키는 과목이 영어이지요. 그래서일까요? 영어 교과목은 초 3부터 시작하지만, 초 3 아이들의 영어 수준은 천차만별이에요. 이제 막 알파벳을 시작하는 아이가 있는가 하면, 100페이지 넘는 영어 원서를 읽는 아이도 있습니다.

초 3부터 교과서대로 영어를 공부해도 늦진 않지만, 본격적인 공부에 앞서 영어 공부의 본질을 살펴볼 필요가 있습니다. 영어는 언어입니다. 모국어처럼 많이 듣고 읽고 말하면 자연스럽게 익힐 수 있는 '언어'입니다. 환경에 따라 외국어로 배울 수도 있고 제2 언어로 습득할 수도 있습니다. 즉, 적절한 환경 조성으로 영어를 모국어와 같이 구사하도록 도울 수 있습니다.

필리핀, 인도, 싱가포르 등은 공용 언어로 모국어 외에도 영어를 씁니다. 그래서 영어를 자연스럽게 이중 언어로 사용하지요. 영어권 국적을 가진 부모 밑에서 자라는 아이들이 힘들이지 않고 모국어와 영어를 구사하는 것과 같습니다.

하지만 한국에서 평범한 부모와 아이로 살며 학교 교육으로만 영어를 접한다면, 영어는 더 이상 환경 조성만으로 자연스럽게 익힐 수 있는 '언어'가 아닙니다. 수학과 같은 교과목의 하나일 뿐이죠. 물론 여타의 영어 노출 없이 학교에서 하는 교과목을 충실히 공부하면 우수한 성적을 받을 수 있습니다. 이도 잘못된 방법은 아닙니다. 하지만 이제 초등학교에 들어가는 아이라면 좀 더 넓은 식견으로 영어를 제2 언어로 활용할 수 있도록 도와주는 것도 좋습니다.

어렵지 않습니다. 값비싼 영어 유치원을 다니고 외국인과 회화를 하지 않아도 가능합니다. 모국어를 습득했듯이 가정에서 영어 소리가 흘러나오고 영어 원서 읽기가 일상이 된다면 영어에 자유로운 아이로 성장할 수 있습니다. 환경과 습관으로 아이에게 영어를 외국어가 아닌 제2 언어로 선물하는 데 이보다 효과적인 방법은 없습니다.

영어를 모국어처럼 습득하는 아이들은 영어를 공부라고 생각하지 않습니다. 모국어가 입에서 아무렇지 않게 흘러나왔듯 매일 영어를 듣고 읽다 보니 저절로 영어로 말하게 되고 사고하게 됩니다. 모국어 실력이 늘어날수록 독해력과 사고력이 늘듯이 영어로 사고하고 자기 생각을 논리적으로 말할 수 있게 됩니다. 모국어를 문법으로 분석하지 않고 바로 듣고 읽고 말하는 것처럼, 영어도 우리말로 따로 해석하지 않고 말하고 쓸 수 있게 됩니다.

이는 멀리 내다보면 수능 영어에서 실제로 효과가 입증됩니다. 이 아이들의 머릿속에는 모국어 방이 있듯 영어 방이 생깁니다. 영어를 듣고 읽을 때 굳이 모국어 방을 거치지 않아요. 영어가 체화되어 있습니다. 따라서 이 아이들은 수능 영어 듣기를 식은 죽 먹기라고 얘기해요. 독해 문제도 자연스럽게 읽으며 어색한 부분을 언어 감각으로 찾습니다. 몸에 익힌 영어 독해력으로 우수한 성적을 받습니다.

영어는 언어입니다. 스펀지처럼 흡수하는 뇌를 가진 초등 아이들에게 영어가 제2 언어가 되게 하세요. 영어로 사고하고 영어로 말하도록 환경을 만듭니다. 영어가 일상에서 매일 흐르도록 노출합니다. 영어에 자유로운 아이들은 세상을 향한 시선도 넓어집니다. 거침없이 구글에서 영어를 활용하며 수많은 정보를 탐색하고 전 세계를 돌아다닙니다. 영어를 사용하는 사람과 교류하며 글로벌한 인맥을 쌓을 수도 있습니다. 생각의 한계가 없어지고 유연한 사고를 갖게 되지요. 국제 사회를 선도할 인재가 지닐 역량을 갖추게 됩니다.

| 학년이 오를수록 성적도 오르는 초등 영어 공부 전략 |

읽기	어휘	생각하기	쓰기
• 영어 교과서 읽기 • 영어 영상 읽기와 듣기 • 영어 원서 읽기	• 단어 익히기 • 영어 사전 활용 • 문법 익히기	• 영어로 생각하기 • 영어로 토론하기	• 모국어처럼 쓰기 • 책 따라 쓰기 • 본격적인 쓰기

| 2015 개정 교육 과정 초등 영어 교과서 단원명 |

3학년	4학년
Hello, I'm Jinu. What's this? Stand up, please. It's big. How many carrots? I like chicken. I have a pencil. I'm ten years old. What color is it? Can you skate?	My name is Eric. Let's play soccer. I'm happy. Don't run! Where is my cap? What time is it? Is this your watch? I'm a pilot. What are you doing? How much is it? I get up early.
5학년	**6학년**
Where are you from? What do you do on weekend? May I sit here? Whose sock is this? I'd like fried rice. What will you do this summer? I visited my uncle in Jeju-do. How much are the shoes? My favorite subject is science. What a nice house! I want to be a movie director.	What grade are you in? I have a cold. When is the club festival? Where is the post office? I'm going to see a movie. He has short curly hair. How often do you eat breakfast? I'm taller than you. What do you think? Who wrote the book? We should save the earth.

▪ 출처: 천재출판사 초등 영어 3학년~6학년

영어 교과서 읽기

초등 3학년부터 배우는 영어 교과서는 '읽기', '듣기', '말하기', '쓰기' 영역으로 구성되어 있습니다. 초등 3, 4학년에는 듣기와 말하기 위주로 배웁니다. 초등 5학년이 되면 문장으로 쓰기, 말하기가 시작됩니다. 학교마다 차이는 있지만 수업은 영어 전담 교사가 100% 영어로 수업하는 추세입니다. 영어 시간에 선생님은 모국어를 거의 쓰지 않고 영어로 말하고 수업합니다.

긴장할 필요는 없어요. 초등 3학년의 영어는 알파벳을 시작으로 인사, 안부 묻기, 자기소개, 색깔 등 간단한 표현이 주를 이룹니다. 노래, 찬트, 게임을 활용하여 재미있게 수업을 진행하기에 영어가 친숙하지 않은 아이들도 수업 시간을 좋아합니다. 활발하게 참여합니다.

어릴 때부터 영어를 접해 온 아이라면 초등 3학년 교과서가 매우 쉽게 느껴집니다. 이제 막 알파벳을 배우는 아이들에게도 어렵지 않은 내용이에요. 6학년까지도 영어 교과서는 어렵지 않으니 기본적으로 익히고 학습합니다.

본문을 달달 외우고 단어 시험을 볼 필요는 없어요. 아이가 수업 시간에 자신감을 가지고 임할 수 있도록 학년별로 성취 수준에 맞게 교과서를 읽으면 됩니다. 만약 학교에서 단어 시험이 있거나 단원 평가가 있다면 꼼꼼히 준비합니다. 문장 안에서 단어의 뜻을 이해하며 암기합니다. 그래야 단어의 다양한 표현을 알고 오랫동안 기억할 수 있습니다.

초등 시기에 다른 과목의 선행은 반대하는 편이지만, 영어만큼은 선행을 권합니다. 다만 저학년 때 매일 수십 개씩 단어 외우기, 독해 문제집 풀기, 문법 용어 암기하기 등은 권하지 않습니다. 앞서 얘기했듯 초 1부터 자연스럽게 영어 영상을 보여 주고 영어로 된 책을 읽어 주세요. 그러면 초 3 때 학교에서 배우는 영어 시간이 놀이 시간이 될 것입니다. 아이의 목소리는 커지고 엉덩이가 들썩합니다. 자신감이 충만합니다. 이후 영어 학습에도 긍정적인 영향을 미치고, '나는 영어를 잘해!'라며 영어 공부에 대한 학습 동기도 높아집니다. 가정에서 영어 노출만으로도 선행이 됩니다.

이제부터 학교 영어가 만만해지는, 집에서도 손쉽게 할 수 있는 영어 선행 비결을 알려 드리겠습니다.

영어 영상 읽기와 듣기

영어를 언어로 습득하기 위해서 가장 기본이 되는 영어 환경은 '듣기'입니다. 영어 어학원을 다니거나 가정에 영어 사용자가 없으면 아이는 영어를 들을 기회가 없습니다. 그렇기에 의도적으로 가정에서 영어 듣기 환경을 조성해 주세요.

모국어를 처음부터 말하는 아이는 없습니다. 언어는 듣기, 말하기, 읽기, 쓰기 순으로 발달합니다. '엄마'라는 말을 하기 전에 아기는 '엄마'라는 모국어가 수없이 흘러넘치는 환경에 노출되어 있었어요. 영어도 마찬가지입니다. 부모가 영어로 말하면 좋겠지만, 여의치 않다는 걸 알고 있어요. 괜찮습니다. 영어를 못하는 엄마도 충분히 영어 듣기 환경을 만들 수 있어요.

영어 영상을 활용하세요. 영어 영상은 '듣기'가 중심이지만 동시에 '읽기'의 효과도 있습니다. 보이는 영상 화면이 음성을 설명하는 역할을 하기 때문이에요. 들으며 뜻을 알 수 있는, 이보다 더 좋은 사전이 없습니다.

유튜브, 넷플릭스, 디즈니플러스, 리틀팍스 등 마음만 먹으면 저렴한 비용으로 영어 영상을 자유롭게 볼 수 있습니다. 아이의 흥미와 수준을 고려하여 영상을 선택하고 하루에 한 시간 이상씩 충분히 노출해 주세요. '다섯 살부터 영어 유치원에 다닌 아이를 초 1 아이가 어떻게 따라잡아요?'라며 걱정부터 하지 않으셔도 됩니다. 초 1도 충분하고 초 3도 늦지 않습니다. 하루에 한 시간씩 영어 영상을 보겠다는 의지로 습관을 만들어 간다면 고학년이 되어서는 영어 유치원을 나온 아이보다 실력이 월등히 나을 것이라 장담합니다.

| 영어 듣기 추천 플랫폼 |

플랫폼	인터넷 주소
넷플릭스	www.netflix.com
디즈니플러스	www.disneyplus.com/ko-kr
리틀팍스	www.littlefox.co.kr
유튜브	www.youtube.com

영어 영상을 볼 때 한글 자막은 켜지 않습니다. 영어 자막을 틀어 주세요. 영어 듣기와 함께 텍스트 읽기도 병행할 수 있습니다. 물론 영어 자막을 끄고 보는 것도 영어 귀를 틔우는 데 효과적이나 영어 자막을 켜 두는 것도 나쁘지 않습니다. 즉각적으로 텍스트를 보며 자연스럽게 읽는 효과까지 얻을 수 있으니까요.

콘텐츠를 둘러보면 재미있는 영상들이 다양합니다. 아이의 취향, 흥미, 수준에 맞는 영상을 골라 보세요. 부모 입장으로 유익하고 공부하기 적합한 영상이 늘 답은 아닙니다. 오늘, 내일 하고 말 것이 아니기에 무조건 아이가 즐겁게 볼 수 있는 콘텐츠를 선택하세요.

처음 영상 보기 습관을 들일 때는 아이의 곁에 있어 주세요. 이미 한글 영상에 노출되어 있던 아이라면 영어 영상을 거부할 수도 있습니다. 한글 영상은 되도록 보지 않는 것을 권합니다. 한글 영상을 제한하는 규칙을 함께 정하고 실천하도록 합니다. 그리고 영어 영상을 같이 보며 함께 웃고 반응해 주세요. 한글 영상을 보지 않더라도 아쉬움이 없도록, 영어 영상을 보며 편하게 웃고 휴식하는 시간으로 분위기를 조성하세요.

주의할 점이 있습니다. 영상을 보며 무슨 내용인지, 영어가 들리는지 묻지는 마세요. 그저 웃으며 보고 있다면 안심하세요. 영어 귀는 짧은 시간에 뚫리지 않습니다. 최소 3년은 매일 1시간씩 들려준다고 마음먹고, 조급함을 내려놓고 1년여 정도 습관을 잡으세요. 이후 기간은 부모가 강요하지 않아도 아이가 보고 싶어서 영상을 틀게 됩니다. 옆에 부모님이 없어도 영어 영상을 보고 영어 자막을 읽으며 무슨 내용인지 조금씩 이해하게 됩니다. 아기가 '엄마'라고 처음 말할 때까지 꽤 많은 시간이 걸렸다는 사실을 잊지 마세요. 영어도 매한가지입니다.

영어 원서 읽기

영어가 모국어처럼 되기 위해서는 영어 원서 읽기가 필수입니다. 학원에서 영어 회화, 문법을 배울지라도 가정에서 영어 독서를 챙겨주세요. 영어 독해력과 사고력을 높이는 가장 효과적인 방법입니다.

영어 원서는 아이의 수준에 맞게 고릅니다. 한글 책보다 쉽고 만만한 책으로 시작하세요. 하나의 단어로 된 책에서 한 줄, 두 줄 자연스럽게 글밥을 늘입니다. 당연하겠지만 아이가 처음부터 줄줄 읽기는 어렵습니다. 한글을 떼기까지도 오랜 시간이 걸렸잖아요. 영어 읽기도 느긋한 마음으로 접근하세요.

스스로 영어 원서를 읽기 위해서는 알파벳과 파닉스를 먼저 가르쳐 주세요. 유튜브에서 파닉스 관련 영상을 보거나 시중에 나와 있는 파닉스 책을 활용하면 어렵지 않게 읽는 방법을 터득합니다. 천천히 가도 좋으니 재미있게, 만만하게 공부하는 게 핵심입니다. 영어에 좋은 인상이 남도록 칭찬과 격려를 아끼지 마세요.

파닉스를 공부하는 것과 동시에 한 단어짜리 책, 한 줄짜리 책을 부지런히 노출합니다. 짧은 그림책도 좋아요. 하루에 10~20분 파닉스 공부와 원서 읽기를 병행하며 영어 원서에 친숙해지도록 해 주세요. 결과를 바라지 말고 열심히 영어를 노출하세요.

특별하게 어떤 책을 골라야 할지, 어떻게 읽어줘야 할지 모르겠다면 온라인 영어 독서 프로그램 〈라즈키즈〉를 추천합니다. 한 달에 커피 한 잔 가격으로 알파벳, 파닉스는 물론 A단계부터 Z단계까지 수준별 전자책이 제공됩니다. 텍스트를 읽어 주기에 '영알못' 엄마도 바로 활용할 수 있어요. 음원이 나올 때 노래방 기기처럼 글자에 하이라이트가 표시되기에 문자에 대한 아이의 집중력을 높입니다.

학교에서 온라인 영어 독서 프로그램 〈리딩게이트〉를 하고 있다면 적극적으로 활용해도 좋습니다. 이 외에도 비슷한 온라인 영어 독서 프로그램으로 〈에픽〉, 〈리딩앤〉 등이 있으니 아이에게 맞는 것을 적절히 선택하여 활용하면 큰 고민 없이 오디오로 읽어 주는 수준별

| 온라인 영어 독서 프로그램 추천 목록 |

온라인 영어 독서 프로그램	인터넷 주소
라즈키즈	www.razkids.co.kr
리딩게이트	www.readinggate.com
에픽	www.getepic.com
리딩앤	www.readingn.com

책을 제공할 수 있습니다.

온라인 영어 독서 프로그램의 책 읽기는 집중 듣기 형식입니다. 책을 읽어주는 오디오를 들으며 눈으로 텍스트를 따라가는 읽기 방식이에요. 집중 듣기 독서 방법은 정확한 발음, 억양을 들을 수 있는 장점이 있어요. 모든 문자를 읽어 주기 때문에 정독하는 데 도움이 되지요. 하지만 집중 듣기는 말 그대로 아이의 집중을 요합니다. 오디오가 계속 흘러나오기 때문에 자칫 글자를 놓치면 스토리가 연결되지 않습니다.

아이에게 짐이 되지 않게 집중 듣기 시간을 천천히 조금씩 늘리세요. 오디오가 나오지만 습관이 몸에 밸 때까지는 엄마가 읽어 주는 느낌이 들도록 아이 곁에 함께 있어 주세요. 오디오는 나오는데 책장이 잘못 넘어간다고 매서운 눈빛은 쏘지 마시고요. 책이 재미있다고, 잘하고 있다고 긍정의 피드백만 해 주세요.

2년 정도 집중 듣기를 해도 아이는 눈으로 책을 읽지는 못할 겁니다. 파닉스를 알기에 읽을 줄은 알지만, 무슨 뜻인지 선뜻 감이 오지 않을 수 있어요. 자연스러운 현상입니다. 한글 독서도 그랬습니다. 유아 시절 부모님이 밤마다 책을 읽어 줘도 초등 1~2학년이 되어서야 짧은 그림책을 스스로 읽기 시작했습니다. 아이 스스로 영어 원서를 읽는 것은 느긋하게 시도해도 좋아요. 그전까지는 부지런히 집중 듣기를 하며 영어 잠재력을 쌓아 주세요.

당장에 영어 문장도 쓰지 못한다고 포기하지 마세요. 다만 영어 독서를 소홀히 하지 않도록 합니다. 주변 도서관에서 리더스북이나 그림책을 활용해 아이가 부담 없이 영어책을 읽을 수 있도록 습관을 들입니다. 때에 따라 선물을 사 주며 보상도 해 주세요. 신나게 영어 독서를 해야 합니다.

| 초등 학년 군별 영어 원서 종류 |

학년	1~2학년	3~4학년	5~6학년
책 종류	그림책 리더스북	그림책 챕터북	챕터북 소설책

*리더스북 : 그림책에 익숙해진 아이들이 챕터북으로 넘어가기 전에 읽기 능력 향상을 위한 책
(An I can read, Oxford Reading Tree, Learn to Read, Ready to Read 등)
*챕터북 : 이야기가 챕터별로 구성되어 있는 소설책
(Magic Tree House, Horrid Henry, Nate the Great, Judy Moody 등)

집중 듣기 시간을 점점 늘려 중학년이 되면 30분~1시간 정도를 확보해 주세요. 차츰 글밥도 늘고 아이의 취향에 맞는 책도 생길 거예요. 공주가 등장하는 책, 판타지 이야기, 학교 일상에서 일어나는 스토리 등 아이가 흥미 있게 읽을 만한 책으로 선별하여 꾸준히 독서 합니다. 중학년 이상이 되면 미국 초등학교의 제 학년이 읽는 원서를 읽을 수 있는 정도를 목표로 잡고 차근차근 수준을 높여 갑니다.

80쪽 내외의 챕터북을 집중 듣기 할 수 있다면, 아이는 눈으로 읽기를 시도할 수 있습니다. 진정한 영어 독서로 가는 길이지요. 이때 부모가 욕심을 내어 집중 듣기와 같은 수준의 책을 권하면 안 됩니다. 지금 듣고 있는 책보다 수준이 훨씬 낮은 시시한 책을 고르세요. 스스로 읽기는 처음이 수월해야 앞으로의 독서 수준이 향상될 수 있습니다. 지금은 한두 줄짜리 책을 오디오 없이 읽지만 6학년이 되면 듣는 독서와 보는 독서의 수준이 같아질 것입니다.

집중 듣기는 고학년이 되어도 아이가 원한다면 계속해도 좋습니다. 하지만 눈으로 읽는 방법을 터득한 아이들 대부분은 집중 듣기 시간이 꽤 걸리기에 결국에는 눈으로 읽으려 합니다. 이때 집중 듣기와 눈으로 읽기 시간을 적절하게 조절하며 매일 30분~1시간씩 영어 원서 독서를 유지하도록 해 주세요.

복잡하지 않습니다. 부모가 읽어 주는 한글 책을 부지런히 듣고, 한글을 깨치고, 스스로 책을 읽기까지 아이의 모국어 실력이 높아진 과정을 찬찬히 돌아보세요. 영어도 같습니다. 부모가 읽어 주지 못하는 영어 원서는 친절하게 오디오가 읽어 주고, 아이는 영어를 깨치고, 혼자서 영어 원서를 읽습니다. 한글을 다른 말로 해석하지 않았듯 영어도 별다른 번역 없이 문맥을 통해 이해합니다. 영어가 아이의 제2 언어가 됩니다.

단어 익히기

영어 공부하면 영어 단어 외우기가 떠오르지 않나요? 중·고등학교 때를 돌이켜보면 하루에 10~20개씩 외운 기억이 납니다. 열심히 외우고 쪽지 시험에 만점을 받아도 일주일만 지나면 열에 아홉은 까먹어 버렸죠. 지금도 유명 영어 학원에서는 과거의 방식 그대로 초등 아이들에게 영어 단어를 외우게 하고 시험 보기를 반복합니다. 곧 잊힐 지식이라는 걸 알면서도요.

영어 영상과 원서로 영어를 접한 아이들은 영어 단어 외우기 신공이 없어도 자연스럽게 영어 어휘를 습득합니다. 철자가 같은 단어라도 문맥에 따라 뜻이 어떻게 다른지도 유추해 낼 수 있어요. 책과 영상에서 본 수많은 단어를 직관적으로 이해합니다. 여러 번 경험을 통해 익힌 단어는 자기 언어가 됩니다. 아이의 언어 능력을 믿어 보세요.

영어 영상과 영어 원서에는 다양한 어휘가 등장합니다. 당연하게도 아이가 모르는 단어가 있습니다. 모르는 단어가 나왔다고 단어 하나하나 뜻을 찾아가며 영상과 책을 읽는 것은 비효율적이에요. 재미

있게 콘텐츠를 즐기는 데 흐름을 깨뜨릴 뿐이죠. 전체 흐름을 이해하지 못할 정도가 아니면 무심하게 보고 읽어도 좋습니다. "도통 무슨 말인지 모르겠어요."라고 말한다면, 그 영상과 책이 아이의 수준에 맞지 않는 거예요. 단어의 뜻을 찾기 전에 아이의 레벨에 적합한 콘텐츠를 찾아봐야 합니다.

저학년은 단어를 외우지 않아도 됩니다. 다만 초등 3학년이 되어 수업 시간에 단어 시험을 보거나 외워서 표현해야 할 때는 암기가 필요합니다. 학교 숙제라면 반드시 해야죠. 암기할 때에도 단순히 'watch'는 '손목시계'라고 외우지 말고 'I have a watch.', 'Watch out!' 등 여러 문맥 속에서 'watch'의 뜻이 어떻게 다른지 알도록 해야 합니다.

초등 5학년부터는 수업 시간에 '문장으로 쓰기' 활동이 있기에 교과서에 등장하는 철자는 쓸 수 있도록 지도하는 것이 좋습니다. 사실 꾸준하게 원서 읽기를 해 온 아이들은 철자와 뜻을 외우는 것도 수월합니다. 이미 아는 어휘를 정리하는 것뿐이니까요. 단어와 뜻을 달달 외우는 공부법과는 확연히 다릅니다.

제2 언어로 영어를 습득하는 방식의 영어 공부를 하더라도 학교의 영어 수행 평가를 무시할 수는 없지요. 중학교 평가에 필요한 단어 시험과 한국식 해석을 위해서는 고학년에서 조금씩 연습해 보세요. 단어 암기는 부담 없이 시작하도록 합니다.

영어 사전 활용

몰입하며 영어 영상과 책을 읽다가도 아이가 유독 궁금해하는 단어가 있을 겁니다. '영어는 한글로 해석하지 않아도 된다.'라고 하여 아이가 궁금해하는 걸 굳이 안 된다고 할 필요는 없습니다. 이때는 영어 사전을 활용해도 좋습니다. 영영사전도 좋으나 영한사전을 추천합니다. 영영사전은 영어로 뜻을 적어뒀기에 모르는 단어가 또 등장할 수 있어요. 어렵게 배우면 좋긴 하겠으나 굳이 고집할 필요는 없습니다. 즉각적인 이해를 위해 영한사전을 활용하는 것도 괜찮습니다.

인터넷 사전을 활용하여 아이와 뜻을 살펴보고 예시도 함께 읽어 보세요. 단어의 우리말 뜻을 알려 준다고 모든 문장을 우리말로 해석하려 들지는 않을 테니 걱정하지 마세요. 가려운 곳을 긁어 주어 아이는 더 시원하게 콘텐츠를 즐길 수 있습니다.

영영사전을 활용하고 싶다면 저학년에게 유아·초등 저학년용 영영사전을 보여 주세요. 〈My First Dictionary〉DK, 〈Scholastic First Dictionary〉Scholastic, 〈Sesame Street Dictionary〉Random House 등은 영어권 초등 유치원생과 저학년 아이들이 보는 영영사전입니다. 쉽고 자주 쓰이는 필수 어휘가 그림, 사진과 함께 영어로 설명되어 있어요. 저학년을 위한 사전이기에 뜻도 수준에 맞는 어휘로 쓰여 있습니다.

이 영영사전은 사전처럼 활용하지만, 집중 듣기용으로도 좋아요. 보통 사전과 함께 오디오가 제공되기 때문에 부담 없이 읽으면 어휘력 향상에 도움이 됩니다. 책을 읽고 스피드 퀴즈로 놀이를 해도 좋습니다. 부모가 영어로 쓰인 단어의 뜻을 읽으면 아이는 단어가 무엇인지 맞추는 거예요. 아이가 잘 모르겠다고 하면 힌트로 철자를 하나씩 알려 주세요. 즐겁게 어휘를 공부할 수 있습니다.

문법 익히기

우리는 아이에게 제2 언어로 영어를 선물하기로 했습니다. '5형식 문장'과 'to 부정사'라는 문법적인 용어를 몰라도 아이들은 자연스럽게 말하고 읽고 쓰게 됩니다. 책 읽기가 익숙해지는 동안에는 굳이 문법을 가르치지 않아도 됩니다. '연음 법칙'이나 '품사' 등의 문법을 생각하지 않고 우리말을 활용하는 것과 같은 원리입니다.

아이들은 영어 원서 읽기를 통해 문장의 구성 방식을 알게 됩니다. 영상을 보고 따라서 말하며 문법에 익숙해지지요. 언어가 몸에 익어서 자유자재로 영어를 구사할 때 문법을 가르쳐 주어도 늦지 않습니다. 이미 영어라는 언어가 체화되었기에 문법을 훨씬 쉽게 이해할 수 있습니다.

초등 6학년, 중학교에 올라가기 전 즈음에 한국식 문법 용어를 정리해 주세요. 중학교의 수행 평가에서는 문법의 용어를 직접 묻습니다. 외국에서 나고 자라 영어 실력이 유창한 아이들이 한국 중학교 영어 수행 평가에서는 고전을 면치 못하는 이유가 여기 있습니다. 아무리 원어민처럼 영어를 잘해도 우리말로 문법을 알고 평가에 맞게 정리해야 합니다. 중학교에서도 자신감 있게 영어를 공부할 수 있도록 초등 6학년 겨울방학에는 영어 문법 공부에 시간을 할애하세요.

영어로 생각하기

부모 세대는 영어에 한이 맺혔습니다. 중·고등학교 때 죽어라 하고 영어 공부를 했지만, 간단한 영어 회화조차 어렵습니다. 길거리에서 외국인이 길이라도 물으면 '어떻게 영어로 말해야 하지?'라고 당황하며 아는 단어를 떠올리고 문법 규칙으로 조합하려 합니다. 간단한 회화야 어찌어찌하지만, 우리말로는 가능한 정치, 사회, 과학 등 여러 주제의 상식적인 내용을 영어로까지 말할 엄두는 나지 않지요. 우리말을 영어로 변환하는 과정에 자꾸 브레이크가 걸리기 때문입니다. 영어로 사고하는 방식은 간과하고 영어를 배열하는 형식만 암기했기에 그렇습니다.

영어를 우리말처럼 사용할 때에는 의식적으로 영어 문법 규칙을 생각하지 않습니다. 영어로 사고하고 영어로 표현합니다. 축적된 어휘와 영어 구문 등을 조합하며 생각을 온전히 전달하는 것이지요. 우리말을 하는 것처럼요.

아이가 영어를 제2 언어로 장착한다는 건 여행에 필요한 단순한 회화 능력를 넘어서는 일입니다. 고차원적인 자기 생각을 영어로 전달하고 논리적으로 설득할 수 있는 그야말로 '언어'로써 소통하는 것입니다. '민주주의'에 대해 우리말로 정의할 수 있다면, 영어로도 치환 과정을 거치지 않고 바로 말할 수 있는 상태를 말합니다.

언어는 그 사람의 지식 정도, 가치관, 생각의 깊이를 보여 주는 척도입니다. 암기해서 나열하는 영어가 아닌 영어로 정보를 얻고 지식을 탐색한 아이들은 신문 기사, 소설, 영화, 칼럼 등 영어로 쓰인 다양한 영역의 글을 읽고 바로 흡수합니다. 한국말로 번역할 수 없는 미세한 부분을 영어로 느끼고 사고하게 됩니다.

당장 영어 회화 실력이나 발음이 중요한가요? 문법이 좀 틀리면 어떤가요? 영어로 사고하는 힘을 먼저 길러 주세요. 영어권 나라에서 살 여건이 되지 않으니 앞서 강조한 영어 영상 보기와 원서 읽기에 푹 빠지도록 습관을 들이세요. 저학년 때는 재미 위주의 주제로 탐색했다면, 고학년이 되면서 사회, 과학, 경제 등 분야를 넓혀 영상과 책을 제공하세요. 아이의 영어 사고력이 더욱 풍부해 집니다.

그러기 위해선 우리말 독서도 소홀히 하지 말아야 합니다. 아이의 모국어는 한국어입니다. 우리말로 생각하는 힘이 튼튼한 기반이 되어야 그 위에 영어가 쌓입니다. 먼저 우리말로 충분히 지식을 쌓는다면 영어로 쓰인 낯선 과학 용어도 이해하기 쉽습니다. 인공 지능에 관한 한국어 신문 기사나 책을 읽은 아이들은 영어로 쓰인 신문 기사도 곧잘 유추해 냅니다. 영어 사고력은 국어 사고력이 밑바탕이 된다는 걸 부정할 수 없습니다.

영어로 토론하기

"그래도 영어 회화가 중요하지 않나요?"라고 묻는 분들이 있습니다. 네, 중요하지요. 회화도 언어의 필수 영역입니다. 원어민을 만나 이야기하는 활동, 매우 좋습니다. 경제적 여력이 되고 시간적 여유가 된다면 매일 원어민을 만나는 활동이 바람직하지 않을 리 없습니다. 그렇지만 효율성을 따져보자고요.

우리말 실력을 가늠했을 때 초등 1학년과 초등 6학년은 어마어마한 차이를 보입니다. 간단한 문장만 말했던 초 1은 초 6이 되면 인권을 주장하고, 환경 문제를 논합니다. 논리적인 근거를 들어 의견을 말하고 친구를 설득하지요. 어른과 비슷한 수준으로 사고하고 우리말을 유창하게 활용합니다.

초등 6학년의 영어도 비슷합니다. 저학년의 영어는 간단하고 한정적입니다. 원어민과 대화를 해도 깊이 있는 주제로 대화하기 힘들지요. 몇 마디 주고받지도 못합니다. 시간과 효율성 대비 이 시기는 영어 회화보다는 독서에 힘을 주는 방향이 더 효과적입니다.

아직 초등 저학년인데 영어로 한마디도 못 한다고 염려 마세요. 그 시기에는 원어민과 소통하지 않아도 됩니다. 아이는 내공을 조금씩 쌓는 중입니다. 기다리세요. 아이의 무궁한 잠재력을 믿고 초등 5~6학년에 아이의 영어 표현력을 확인하세요. 영어 환경에서 매일 읽고 보고 듣다 보면 하지 말라고 해도 시간이 갈수록 영어로 술술 말하게 됩니다. 회화는 기본이고, 세계 평화, 지리적 특성, 과학 기술 등 여러 분야에 관해 거침없이 영어로 말합니다.

저학년 때 아껴두었던 말하기 수업을 고학년 때 적극적으로 활용하세요. 아이가 말할 기회를 주세요. 일상 회화를 위한 화상 영어는 추천하지 않습니다. 아이의 생각을 주장하고 상대방의 생각에 반박할 수 있는 토론 형식의 말하기 수업을 권합니다. 신문 기사를 읽고 선생님과 대화하는 화상 영어, 또래 친구들과 책을 읽고 나누는 독서토론, 사회 이슈를 두고 찬반 형태의 의견을 나누는 수업, 하나의 주제를 탐구하고 발표하며 질의응답하는 프로젝트 등 깊이 있는 말하기가 가능한 활동에 참여합니다.

해외여행에 필요한 의사소통용 영어와 토론할 수 있는 사고 표현용 영어는 차원이 다릅니다. 우리말을 안다고 토론이 모두 가능하지는 않습니다. 토론이 가능한 영어는 경험과 지식이 쌓이고 견해가 바로 서야 할 수 있습니다. 그만큼 사고력과 유창한 영어 감각도 겸비해야겠지요. 입으로 외우는 영어보다 영어로 생각하는 머리가 중요합니다. 초등 시기에는 차고 넘치게 영어로 읽고 듣는 것이 해답입니다.

모국어처럼 쓰기

앞서 국어 과목에서 언어의 영역은 듣기, 말하기, 읽기, 쓰기로 '쓰기'가 가장 나중에 발현된다고 했습니다. 영어도 충분히 읽고 말하고 사용해야 영어로 쓰기가 가능합니다. 알파벳과 파닉스를 안다고 하여 쓰기가 바로 되지는 않습니다. 초등 1학년 국어 시간에 글자 쓰기에 매진했던 아이들입니다. 영어 쓰기 시기는 좀 더 여유를 주세요.

영어 학원, 영어 도서관을 다니며 읽기와 쓰기를 병행하는 옆집 아이를 보면 조바심이 날 거예요. '우리 아인 언제 저렇게 쓰나? 지금이라도 쓰기를 시켜야 하나?'라는 불안감이 차오르지요. 부모가 흔들리면 애먼 아이만 잡게 됩니다. 옆집 아이와 비교하지 마세요. 영어 쓰기도 한글 쓰기처럼 찬찬히 실력을 쌓을 수 있습니다. 믿어주세요.

영어 환경이 모국어처럼 익숙한 아이들은 한글 글쓰기가 그랬듯 자연스럽게 영어 쓰기가 가능해집니다. 쓰기 훈련을 하지 않아도 신비롭게 아이들의 잠재력이 나타납니다. 영상에서 봤던 문장을 끼적이는가 하면 영어로 낙서합니다. 철자나 문법은 틀릴지 몰라도 익숙한 영어 구문을 쓰게 됩니다. 무수한 영어 문장과 구문을 접했기 때문입니다. 차곡차곡 쌓아 놓은 독서력이 있기에 영어 쓰기 신공이 발휘됩니다.

영어 쓰기도 마치 모국어 쓰기와 같습니다. 국어에서 초등 1학년에 글자 쓰기, 초등 2학년에 일기 쓰기, 초등 3~4학년에 독후감 쓰기, 초등 5~6학년에 논술 쓰기를 거친 것처럼 모국어의 한 발짝 뒤에서 영어 쓰기도 시도해 봅니다. 다시 한번 강조하지만, 모국어만큼 영어 독서가 바탕이 되어야 합니다. 자주 많이 영어를 접해야 자기 언어로 표현할 수 있습니다.

국어의 쓰기 실력보다 앞서서 영어 쓰기를 할 필요는 없습니다. 국어와 비슷한 속도로 가되 아이의 수준이 미치지 못한다면 무리하지는 마세요. 아이들에게 영어는 국어 다음입니다. 모국어로 일기 쓰기를 잘해도 영어로는 주저할 수 있어요. 충분히 모국어로 쓰기를 한 후에 영어 쓰기도 천천히 시작합니다. 수준이 되지 않을 때는 쓰기를 강요하는 것보다 읽기에 더 힘쓰는 것이 현명합니다.

다른 과목에 대해서는 선행에 부정적이지만, 영어만큼은 읽기도 쓰기도 초등 시기에 다졌으면 하는 이유가 있습니다. 초등 영어 수업 활동은 아이들이 신나서 합니다. 놀이의 일환이고, 잘 못 알아들어도 수업이 재미있습니다. 그런데 중학교 1학년만 되어도 영어 수업이 달라집니다. 영어로 말하고 놀이 형식으로 수업하던 전담 선생님이 중학교에는 없습니다. 중학교 영어 선생님은 단어를 외우게 하고 문법을 가르칩니다. 몇 번의 글쓰기 방법만 알려 주고 바로 수행 평가에 돌입합니다.

쓰기에 익숙하지 않은 아이들은 수행 평가가 곤욕입니다. 평가 전에 연습 삼아 써 보고 달달 외우지만, 실제 평가에서 술술 쓰기는 어렵습니다. 고등학교에선 더 높은 벽이 기다리고 있습니다. 당연하겠지만 영어가 자기 언어로 익숙한 아이들은 큰 어려움 없이 수행 평가에도 임합니다.

초등 6학년에 우리말 논술 쓰기를 자유자재로 할 수 있더라도 영어는 부족할 수 있습니다. 국어 능력의 70~80% 정도로 영어 글쓰기 실력을 갖추는 데 목표를 두세요. 우리말로 쓰기를 해보지 않은 아이들은 영어 쓰기도 힘겨워합니다. 국어 쓰기를 다지면서 영어도 뒤따라가세요.

책 따라 쓰기

언제 쓰기를 해야 하는지 마냥 기다릴 수만은 없을 때, 활용하기 좋은 쓰기 훈련을 소개할게요. 바로 필사입니다. 책에 있는 문장을 따라 쓰는 활동이에요.

아이는 매일 영어 원서를 읽고 있습니다. 짧은 그림책부터 리더스북, 챕터북까지 독서 레벨이 점점 올라갑니다. 이때까지만 해도 아이의 영어 쓰기 실력은 전무합니다. 독서 초기부터 날마다 책에 있는 문장을 따라 쓰게 해보세요. 그 날 읽은 책에서 가장 마음에 드는 문장, 재미있는 문장, 또는 모르는 단어가 있는 문장을 따라 씁니다. 아이는 매일 한 문장씩 손으로 꾹꾹 눌러 쓰며 영어 문장의 구조를 저절로 익히게 되지요. 매일 필사하는 문장이 쌓이며 글쓰기 저력도 높아집니다.

영어 그림책을 읽을 때부터 소설을 읽을 때까지, 매일 한 문장씩만 써도 아이가 익히는 문장은 어마어마해요. 직접 글자를 썼기 때문에 눈으로 보는 것 이상의 독서 효과가 있습니다. 이렇게 적립해 둔 문장은 자발적 글쓰기에 이르러 마구 꺼내 쓸 수 있는 소중한 재료가 됩니다.

문장을 따라 쓰라고 하면 한 단어, 두 단어로 된 짧은 문장을 골라오는 경우가 다반사일 겁니다. 괜찮습니다. 어떤 날은 "오늘은 가장 긴 문장을 찾아볼까?"라며 좋은 문장을 찾도록 유도해 주세요. 짧은 문장, 긴 문장을 유연하게 선택하며 매일 필사를 즐길 수 있게 분위기를 만들어 주세요. 아이가 원한다면 문장의 개수를 조금씩 늘리며 문단을 따라 써 보는 것도 좋겠지요. 핵심은 부담을 느끼지 않을 정도로 매일 쓰기를 한다는 것입니다.

'한 문장 따라 쓰기'는 아이가 짧은 시간 내에 쉽게 할 수 있는 장점이 있어요. 공부라고 느껴지지 않을 정도로 부담이 없으니 영어 실력이 잔잔하게 스며들며 글쓰기 실력을 향상시킵니다. 문장을 따라 쓰며 영어로 낙서가 시작된다면 본격적인 쓰기 연습을 할 적기입니다.

본격적인 쓰기

수능 기본 어휘를 달달 외우고 토익까지 봤어도 영어로 글을 쓰는 일은 매우 두렵습니다. 부모의 이야기입니다. 그렇다면 아이가 A4 한 장 가득 영어로 글쓰기 하는 것은 가능할까요? 부모의 영어와 아이의 영어는 다릅니다. 우리말이 입에서 흘러나온 뒤 손으로 술술 글을 썼듯 아이에게는 영어도 그렇습니다. 아이는 문법으로 형식을 따져가며 영어 작문을 하지 않아요. 생각을 씁니다. 하고 싶은 이야기를 영어로 글에 담아냅니다.

이제 본격적으로 영어로 글쓰기를 해 봅니다. 영어 쓰기는 국어 쓰기와 마찬가지로 크게 일기, 독후감, 가벼운 논술 쓰기(에세이)로 나누어 설명하겠습니다. 영어 글쓰기도 국어 글쓰기와 같은 과정을 거칩니다. 평소 국어 글쓰기를 해 온 아이라면 영어 글쓰기는 방향만 잡아주면 수월하게 할 수 있습니다.

첫째 영어로 일기 쓰기입니다. 국어로 일기 쓰기가 익숙해진 중학년 아이들에게 권합니다.

일기는 일상의 사건과 감정을 쓰는 겁니다. 영어로 쓴다고 하여 내용이 달라지지 않습니다. 영어 일기 쓰기가 처음이라면 우리말로 쓴 짧은 일기를 영어로 번역하도록 해 보세요. 문법은 따지지 말고 아이가 혼자의 힘으로 쓰도록 합니다. 번역기를 활용해도 좋고 어학 사전을 펼쳐도 좋습니다. 콩글리시투성이면 어떤가요. 아이가 스스로 작문했다는 데에 무한한 칭찬을 해 주세요. 일주일에 한 번쯤은 영어 일기 쓰기를 합니다.

아이가 쓴 일기를 보고 지적하고 싶을 땐, 우회하여 다음 일기를 쓸 때 잘 쓰인 짧은 영어 일기를 예시로 보여 주세요. 처음에는 엉망진창이었어도 회를 거듭할수록 아이의 영어 일기가 영어 글답게 나아집니다. 첨삭은 하지 않아도 괜찮습니다. '나도 영어로 글쓰기를 할 수 있어!'라는 자신감만 심어 주세요.

둘째, 영어로 독후감 쓰기입니다. 국어 독후감 쓰는 법을 배웠지요? 읽는 영어 원서도 꽤 두꺼워졌을 겁니다. 책의 줄거리를 이해하고 감상을 말로 표현할 수 있을 때, 우리말로 독후감을 적당히 써 내려갈 수 있을 때, 영어 일기 쓰기가 익숙해졌을 때 영어 독후감 쓰기도 시도해 봅니다.

독후감에는 주로 줄거리와 감상평을 쓰는데요, 영어로 독후감을 쓰기 전에 아마존amazon.com과 같은 미국 온라인 서점에서 쓰고자 하는 책을 검색하여 서평과 구매 후기를 살펴보세요. 영어 독후감을 어떻게 쓸지 감이 잡힙니다. 그래도 모르겠다면 책 소개에 있는 서평을 따라 써 보는 것을 추천합니다. 줄거리는 따라 쓰고 감상은 내 생각을 쓰는 형식을 취하며 편하게 독후감을 쓰도록 유도합니다. 영어 독후감까지 쓸 수 있다면 다음 짧은 논술 쓰기는 자연스럽게 할 수 있습니다.

셋째, 영어로 짧은 논술 쓰기입니다. 보통 영어 작문을 '에세이'라고 말합니다. 짧은 글에 자기 생각을 담아낸 글입니다. 국어에서도 논술 쓰기가 가장 마지막 쓰기 훈련이었던 것과 같이 영어에서도 하나의 주제를 두고 자기 생각을 쓰는 에세이 쓰기가 최종 쓰기 목표가 아닐까 싶어요. '교실 안 CCTV는 정당한가?', '게임 중독의 위험성과 해결 방안은?'과 같은 주제로 영어로 글을 쓰는 것입니다. 영어 원서 읽기를 소홀히 하지 않았다면 고학년이면 충분히 영어로 쓸 수 있어요. 논리적인 근거를 들어서 말이지요.

영자 신문이나 다양한 비문학 지문을 자주 읽었다면 에세이 쓰기에 도움이 됩니다. 비문학 책을 꺼린다면 초등 4~5학년 정도부터는 독해 문제집을 통해 비문학 지문을 접하도록 하세요. 독해 문제집에 실린 짧은 글을 보며 논설문의 구성을 이해하고 배경지식도 쌓게 됩니다. 논술 쓰기 단계에서는 전문 선생님이나 사교육을 통해 첨삭을 받아 보세요. 아이의 사고력이 좋아진 만큼 내용도 풍부해지고 글이 맵시 있게 다듬어 집니다.

아이가 영어로 쓴 글을 차곡차곡 모아 두세요. 초등학교를 졸업하며 돌아보면 일취월장한 아이의 실력을 보실 수 있을 겁니다. 아이의 수준과 정서에 맞게 영어 쓰기를 도와주세요. 아이마다 속도는 다릅니다. 잘못된 점을 고치려 하기보다 잘된 점을 칭찬해 주세요. 목표는 짧은 논술 쓰기였지만, 꼭 이루지 못해도 괜찮습니다. 중학교에 가서 완성해도 되고요. 영어가 몸에 익게 아이의 속도로 나아가도록 한결같이 동행해 주세요.

초등 영어 공부 로드맵

앞서 다루었던 초등 영어 공부 로드맵을 표로 정리하였습니다. 읽기, 어휘, 생각하기, 쓰기의 큰 흐름을 보며 내 아이의 인지 발달에 맞게 활용하시길 바랍니다.

<table>
<tr><th colspan="2">학년
공부 전략</th><th>1~2학년</th><th>3~4학년</th><th colspan="2">5~6학년</th></tr>
<tr><td rowspan="4">읽기</td><td>교과서 읽기</td><td>-</td><td colspan="3">학습 목표를 달성하도록 여러 번 꼼꼼히 읽기</td></tr>
<tr><td>영어 영상 읽기와 듣기</td><td colspan="4">아이의 흥미와 관심사에 맞는 영어 영상 보기
한글 자막은 켜지 않고, 영어 자막은 자유롭게 켜거나 끄고 영상 보기</td></tr>
<tr><td rowspan="2">영어 원서 읽기</td><td colspan="4">아이의 흥미와 관심사에 맞는 영어 원서 읽기</td></tr>
<tr><td>그림책, 리더스북</td><td>그림책, 챕터북</td><td colspan="2">챕터북, 소설책, 영자 신문</td></tr>
<tr><td rowspan="3">어휘</td><td>단어 익히기</td><td>-</td><td colspan="3">학교 진도에 따라 단어 암기</td></tr>
<tr><td>영어 사전 활용</td><td>저학년용 영영 사전 가볍게 활용하기</td><td colspan="3">한영사전, 인터넷 사전 등 자유롭게 활용하기</td></tr>
<tr><td>문법 익히기</td><td colspan="3">-</td><td>중등 대비 문법 공부</td></tr>
<tr><td rowspan="2">생각하기</td><td>영어로 생각하기</td><td colspan="4">영어 발음, 문법에 연연하지 않기
영어 원서 읽기·영어 영상 보기·우리말 독서를 꾸준히 하기</td></tr>
<tr><td>영어로 토론하기</td><td colspan="2">아이가 원한다면 회화 수업하기</td><td colspan="2">우리말과 영어 독서로 다져진 사고력을 바탕으로 토론하기</td></tr>
<tr><td rowspan="3">쓰기</td><td rowspan="2">모국어 처럼 쓰기</td><td colspan="4">한글보다 한 발 뒤에서 영어 쓰기</td></tr>
<tr><td>알파벳 쓰기</td><td>일기 쓰기</td><td>독후감 쓰기</td><td>논술 쓰기</td></tr>
<tr><td>책 따라 쓰기</td><td colspan="4">읽은 책에서 마음에 드는 문장 따라 쓰기</td></tr>
</table>

중학교 영어 공부 로드맵

초등학교에서 원서 읽기와 영상 보기에 익숙해진 아이들도 중학교에서는 영어 내신을 대비해야 합니다. 단어 암기, 문법, 영작문 등을 학교에서 하는 공부에 맞추어 다듬어야 해요. 특히 문법은 '현재 완료', '동명사', '수동태' 등 낯선 용어가 등장하기 때문에 암기가 절대적으로 필요합니다. 교과서 외에 문법 교재를 활용하여 중학교 1학년부터 문법을 체계적으로 공부합니다.

선생님의 지시에 따라 수행 평가와 지필 평가를 대비합니다. 시험 공부 계획을 세우고 자신만의 단어 암기법, 내신 대비 공부법을 터득해야 해요. 시험 직전에 공부하기보다 4주 정도 기간을 두어 목표를 세우고 기본기를 탄탄히 다지며 시험 대비 공부를 합니다. 내신 공부에 힘쓰면서도 원서 읽기는 이어가야 해요. 초등 시기에 다져둔 영어 독해력을 잃지 않기 위해서는 원서를 꾸준히 읽으며 감을 유지해야 합니다.

중학교 3학년에 들어가면 방학을 이용하여 고등학교 모의고사 문제를 풀어 보길 권합니다. 영어를 제2 언어로 장착한 아이들은 고등학생용 모의고사에 도전할 수 있습니다. 영어 영상을 편하게 보며 여가 시간을 즐기는 것은 곧 듣기 시험 공부가 됩니다. 더불어 정치, 경제, 사회, 과학, 철학 등 다양한 분야의 영어 지문을 읽고 문제를 풀며 고등학교 공부를 대비합니다.

고등학교 영어 공부 로드맵

고등학교 영어는 중학교보다 훨씬 어렵습니다. 지문의 길이는 길어지고 다뤄야 할 어휘와 문법이 어마어마하게 늘어납니다. 중학교에서 A등급을 받던 아이들도 난도 높은 문제에 갈피를 못 잡습니다. '시험 기간 때 공부해야지.'라고 생각하면 원하는 성과를 얻지 못할 거예요. 매일 단어를 외우고 지문을 읽어야 합니다.

고등학교 영어는 다른 과목과 마찬가지로 내신과 수능을 모두 준비해야 합니다. 그렇다고 고 1부터 수능 문제를 따로 풀며 대비할 필요는 없습니다. 고 1은 내신만 챙기기에도 힘겨울 거예요. 내신에 집중하며 영어를 심도 있게 공부합니다. 원서를 편안하게 읽는 아이들도 내신에 필요한 단어 암기, 어법 이해, 구문 독해는 필수입니다. 교과서, 수업 교재를 꼼꼼히 살피며 학교 내신에 맞추어 공부합니다.

고 2에 들어서면 내신을 준비하며 수능 문제 유형을 분석합니다. 수능 영어는 일정한 문제 유형이 있습니다. 어법, 어휘, 빈칸 채우기, 무관한 문장 찾기, 문단 요약 등 수능에서 요구하는 문제 유형이 무엇인지 면밀하게 살펴야 해요. 단순히 문제를 많이 풀며 유형을 분석하기보다 집요하게 지문을 파헤치며 출제자의 의도를 파악하는 것이 우선입니다.

고 3 시기에는 수능을 위한 실전 연습을 합니다. 대부분 학교에서는 EBS 연계 교재를 주교재로 사용하기도 합니다. 다양한 문제를 제한 시간에 풀어 보며 실전 감각을 키웁니다. 고 2까지 다져 온 기본기에 문제 푸는 스킬을 더하는 작업입니다. 오류가 난 부분을 메우며 완성도를 높이는 시기지요. 이전에 차곡차곡 쌓은 공부 내공이 전제되어야 합니다.

단어를 하루에 수십 개씩 외울 정도로 공부를 하지만, 수능 지문을 읽고 독해가 안 되는 아이들이 허다합니다. 단편적인 뜻만 알았지, 우리말로 옮기지 못하고 설명하지 못합니다. 평소 다방면으로 우리말 독서를 해 온 아이들은 다릅니다. 글을 읽으며 상식이 풍부해지고 고차원적인 사고력이 쌓인 아이들은 영어 지문 독해도 수월합니다. 고등학교까지도 우리말 독서는 계속되어야 합니다. 신문 사설 읽기도 상식의 범위를 넓혀 줍니다.

초등 사회 공부 · 기본 전략

사회 문제를 발견하고 합리적으로 해결하기

초등학교 3학년이 되면 이전에 없던 '사회' 교과가 생깁니다. 사회는 사회생활에 필요한 '역사', '지리', '사회', '문화', '정치', '경제' 등을 배우는 과목입니다. 사회의 여러 현상, 지리적 특성, 역사적 발전 등 다채로운 내용으로 구성되어 있어요. 낯선 용어가 다수 등장하며 아이가 그런 용어들을 자신의 어휘로 만들 수 있느냐에 따라 학업 성취도 차가 두드러지는 과목이기도 합니다.

사회 시간에는 실험하는 활동도 없고 공을 차며 몸을 움직이는 활동도 없습니다. 어려운 개념을 이해해야 하고 외워야 하는 내용이 많습니다. 유별나게 역사를 좋아하는 아이가 아니고서야 대부분 '사회는 암기 과목, 어려운 과목'이라며 부담스러워합니다. 아이들이 수업 시간에는 잘 들어 놓고도 뒤돌아서면 잘 잊어버리는 과목이기도 해요.

한편 달리 생각하면, 사회 과목은 다른 과목보다 우리 생활과 더욱 밀접합니다. 내가 속한 나라, 지역, 학교에서 민주시민으로서 나의 역할, 세계 시민이 되기 위한 나의 자세 등을 삶과 연동하여 생각한다면 그저 외우기만 하는 과목이라고 볼 수 없습니다. 자기 삶의 맥락 속에서 흥미로운 과목이 될 수 있습니다. 주변의 사회 현상 속에서 문제를 발견하고 풀어 나가려는 자세를 가진다면 충분히 재미있는 과목이 됩니다.

교육의 본질을 따진다면 초등 사회 과목은 아이가 사회인으로 성장하기 위한 디딤돌이 되는 중요한 교과입니다. 사회 속에서 아이가 어떻게 생활해야 할지에 대한 지표와 자세를 가르쳐 주지요. 자기 생활과 사회생활을 민주적으로 영위하는 데 도움이 되는 지식과 기능을 초등 시기에 배우게 됩니다.

아이가 단순히 외워야 하는 과목이 아닌 바람직한 삶의 태도를 형성할 수 있도록 도와주는 과목으로 사회 교과를 인지하도록 해 주세요. 그러면 좀 더 친근하고 유의미하게 사회 과목을 공부하게 될 거예요.

| 학년이 오를수록 성적도 오르는 초등 사회 공부 전략 |

읽기	어휘	생각하기	쓰기
• 사회 교과서 읽기 • 신문 읽기	• 교과서 어휘 잡기	• 사회에서 생각하기 • 생각하는 역사 공부	• 배움 공책 쓰기 • 평가 대비 쓰기 • 신문·소책자 만들기

| 2015 개정 교육 과정 초등 사회 내용 체계 및 내용 요소 |

사회	내용 요소	
학년 영역	3~4학년	5~6학년
정치	• 민주주의, 지역 사회, 공공 기관, 주민 참여 • 지역 문제 해결	• 민주주의, 국가기관, 시민 참여 • 생활 속의 민주주의, 민주 정치 제도 • 지구촌 평화, 국가 간 협력, 국제기구, 남북통일
법		• 인권, 헌법, 기본권과 의무, 국가기관의 구성 • 법, 법의 역할
경제	• 희소성, 생산, 소비, 시장	• 가계, 기업, 합리적 선택 • 자유 경쟁, 경제 정의 • 경제 성장, 경제 안정 • 국가 간 경쟁, 상호 의존성
사회 문화	• 가족 구성원의 역할 변화 • 문화, 편견과 차별, 타문화 존중 • 가족 형태의 변화, 사회 변화, 일상생활의 변화	• 신분 제도, 평등 사회 • 지속가능한 미래
지리 인식	• 고장의 위치와 범위 인식 • 지도의 기본 요소(방위, 기호와 범례, 줄인자, 땅의 높낮이 표현)	• 국토의 위치와 영역, 국토애 • 세계 주요 대륙과 대양의 위치와 범위, 대륙별 국가의 위치와 영토 특징 • 공간 자료와 도구의 활용
장소와 지역	• 마을(고장) 모습과 장소감 • 지역 중심지의 위치, 기능, 경관 특성 • 촌락과 도시의 상호 의존 관계	• 국토의 지역 구분과 지역성 • 우리와 관계 밀접 국가의 지리적 특성 • 우리 인접 국가의 지리 정보 및 상호 의존 관계 • 우리 인접 국가의 지리 정보 및 상호 의존 관계
자연 환경과 인간 생활	• 고장별 자연환경과 의식주 생활 모습 간 관계 • 고장의 지리적 특성과 생활 모습 간 관계, 고장의 생산 활동	• 국토의 기후 환경 • 세계의 기후 특성과 인간 생활 간 관계 • 국토의 지형 환경

사회 영역 \ 학년	내용 요소 3~4학년	내용 요소 5~6학년
인문 환경과 인간 생활	• 촌락과 도시의 공통점과 차이점 • 촌락과 도시의 문제점 및 해결 방안 • 교통수단의 발달과 생활 모습의 변화	• 국토의 인구 특징 및 변화 모습 • 국토의 도시 분포 특징 및 변화 모습 • 국토의 산업과 교통 발달의 특징 및 변화 모습 • 세계의 생활문화와 자연환경 및 인문환경 간의 관계
지속 가능한 세계		• 지역 갈등의 원인과 해결 방안 • 지구촌 환경 문제 • 지속 가능한 발전 • 개발과 보존의 조화
역사 일반	• 우리가 알아보는 고장 이야기(고장과 관련된 옛이야기, 고장의 문화유산, 고장의 지명)	
정치 문화사	• 시대마다 다른 생활 모습(옛사람들의 생활 도구와 주거 형태)	• 고대 국가의 등장과 발전(삼국의 발전, 불국사와 석굴암) • 통일신라와 발해 • 독창적 문화를 발전시킨 고려(고려청자와 고려 문화, 금속 활자와 그 의의, 팔만대장경) • 민족 문화를 지켜나간 조선(이성계, 세종, 훈민정음) • 새로운 사회를 향한 움직임(영·정조의 정치) • 새로운 사회를 향한 움직임(근대 개혁) • 일제의 침략과 광복을 위한 노력 • 대한민국의 수립과 6·25 전쟁 • 자유민주주의 발전과 시민 참여 • 통일을 위한 노력 • 역사 갈등 해소를 위한 노력과 독도
사회·경제사	• 가족의 모습 • 세시 풍속의 변화상과 역할 변화	• 인권 개선을 위한 노력 • 경제생활의 변화와 우리나라 경제의 성장

▪ 출처: 초등 2015 개정 교육 과정

사회 교과서 읽기

사회 교과서를 펼치면 아이의 주목을 이끌만한 삽화, 사고력을 높여주는 활동, 자세한 지도와 그래프, 상세한 설명이 들어있습니다. 중요한 개념은 두꺼운 글씨로 표시되어 있고 그 의미를 쉽고 자세하게 설명해 줍니다. 학습 내용에 맞는 다양한 그림, 지도, 연표 등은 내용의 이해를 돕지요.

초등 시기에 사회 과목은 교과서만 잘 봐도 다른 문제집이 필요 없습니다. 국어, 수학보다 교과서를 통한 복습의 효용성이 가장 높은 과목이 사회입니다. 박물관 체험이나 역사 논술 사교육을 받기 전에 교과서를 먼저 봐야 합니다. 교과서의 학습 목표에 맞게 아이가 성취했는지 교과서를 읽으며 복습합니다. 필요하다면 〈사회과부도〉도 꼼꼼히 챙겨보며 개념과 내용을 파악합니다.

교과서 복습을 하며 이해가 잘 가지 않는 부분이 있다면 디지털 교과서를 적극적으로 활용하세요. 스마트폰 앱인 '디지털 교과서'를 다운로드하면 손쉽게 어디서든 이용할 수 있습니다. 디지털 교과서는 교과서 내용을 그대로 담고 있는데요, 그중에서도 사회와 과학은 기존 교과서에서는 볼 수 없는 관련 영상, 용어 카드, 확인 학습 퀴즈 등의 연계 활동이 풍부하게 추가되어 있습니다.

예를 들면 4학년 1학기 천재 교과서의 '지도로 본 우리 지역' 단원을 볼게요. 단원을 열면 '용어 카드'가 보입니다. 이 단원에서 꼭 알아야 할 '용어'를 보여 주고 있어요. 학습이 끝나면 이 용어를 정확하게 설명할 수 있어야 제대로 공부한 것입니다. 직접 아이가 앱 페이지에 필기도 할 수 있습니다. 다음 페이지에서는 지도에 대한 설명과 함께 '대동여지도' 관련 영상이 링크되어 있습니다. 단원과 연계된 영상, 글 등의 참고 자료를 손쉽게 찾아볼 수 있어 유익합니다. 지도를 확대하여 보거나 손으로 그려 보기도 할 수도 있어요. 단원을 마

| 디지털 교과서의 다양한 기능 |

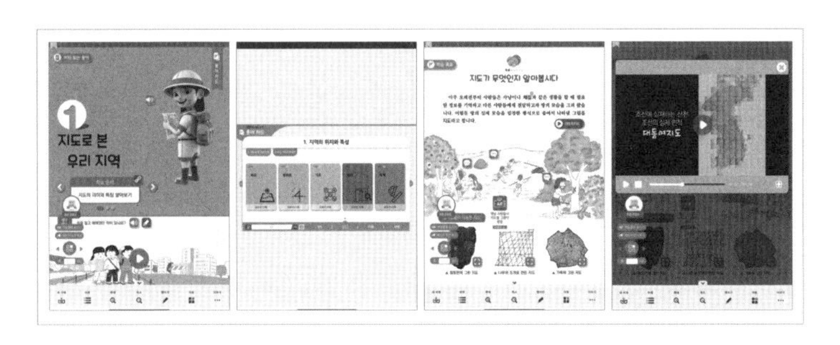

▪ 출처: 디지털 교과서 사회 4-1(천재출판사)

무리하며 게임 형식으로 학습 내용을 정리하는 페이지는 아이의 흥미를 이끌며 즐겁게 학습 내용을 점검하게 합니다. '범례', '축척', '등고선' 등의 용어 등이 아이들에게 어려울 법도 한데, 이렇게 디지털 교과서를 통해 보고 그리며 여러 맥락을 경험하면 오래 기억에 남게 됩니다.

신문 읽기

교과서 외에도 사회와 관련하여 배경지식을 넓히기 위해 가정에서 사회 관련 전집을 들이기도 합니다. 사회 개념을 동화 형식으로 풀어주는 수십 권에 달하는 책이 책장에 꽂혀 있으면 뿌듯하지요. 아이가 사회에 관심이 많으면 전집처럼 좋은 책이 없지요. 그렇지만 유아 시기에 이미 겪어 보셨을 거예요. 보통의 아이들은 전집의 반 정도도 다 읽지 않습니다. 사회에 푹 빠져있는 아이가 아니라면 사회 전집을 모두 읽을 확률이 매우 희박합니다.

아이의 배경지식을 넓히고자 마음먹었다면 신문을 읽혀 보세요. 앞서 '국어' 과목에서 신문을 읽으면 논설문의 형식을 터득하는 데 도움이 된다고 이야기했습니다. 사회 과목의 관점에서 보면 신문만큼 사회를 자세히 설명하는 글은 없습니다. 신문은 사회에서 일어나는 최신의 현상, 사건, 문제, 이슈 등을 담고 있습니다. 아이들에게 생각할 거리를 던져주지요. 아이가 사회를 더 가깝게 느낄 수 있어요.

교과서에 있는 내용이 자기 삶과 동떨어진 게 아니라 연결되어 있다는 사실을 깨닫게 됩니다.

목표를 높게 잡으면 넘어질 따름이지요. 기대한 만큼 아이가 날마다 신문을 꼼꼼하게 보지는 않을 거예요. 매일 쌓이는 신문은 폐지가 될 가능성이 있습니다. 목표는 '매일 하나의 기사만 읽자.'로 잡아 보세요. 인터넷 신문을 활용하여 손쉽게 신문 기사를 읽을 수도 있어요. 아이가 관심 있는 분야나 지금 학교에서 배우고 있는 개념과 연관된 기사를 골라 함께 읽어 보세요. 매일 5분이면 충분합니다.

처음부터 어른이 읽는 신문을 보면 어려워할 수 있으니 〈어린이동아〉, 〈어린이 조선일보〉, 〈어린이 경제신문〉과 같은 어린이용 신문을 접하게 합니다. 사회 이슈를 아이의 수준에 맞는 어휘로 다루고 있어 초등 아이들이 읽기에 적합합니다. 기사 안에 어려운 어휘는 사전적 의미가 함께 제공되기에 어휘력 공부까지 꾀하게 됩니다. 신문 기사를 하나씩 찾아 읽다가 관심이 고조되면 그때 가서 종이 신문을 구독해도 늦지 않습니다.

이 외에 도서관을 자주 들러 사회 교과와 연관된 도서도 챙겨 주세요. 도서관에는 전집도 구비되어 있으니, 필요한 책만 빌려서 볼 수도 있어요. 아이에게 읽기 콘텐츠를 적절하게 보여 주면 사회와 연관된 다양한 지식과 상식이 자연스럽게 배어들게 될 겁니다.

교과서 어휘 잡기

사회 과목 공부의 핵심은 어휘력입니다. 개념이 곧 어휘입니다. '세시 풍속', '자원의 희소성', '기본권', '고산 기후' 등 사회 교과에 나오는 어휘는 개념을 설명합니다. 어휘를 알지 못하면 개념 이해가 어려워요. 반드시 교과서에 나오는 어휘를 꼼꼼히 살피고 숙지해야 합니다.

초등 3학년까지만 해도 어휘가 그렇게 많지는 않습니다. 배우는 내용이 나를 둘러싼 가족, 지역, 자연환경이기에 경험으로 알고 있는 어휘가 대부분입니다. 아이들이 본격적으로 어휘력의 벽을 느끼는 때는 4학년 1학기의 '지도' 부분을 배울 때입니다. '범례', '등고선', '방위' 등 한자어로 된 낱말이 생소하지요. 평소 잘 쓰지 않는 낱말이기도 하고 한자여서 입에 착 감기지 않습니다. 기본적인 한자의 뜻을 아는 아이들은 낯선 낱말도 유추하며 뜻을 이해하기가 쉬워요. 그래서 앞서 한자 공부를 강조하였습니다. 중학년부터 틈틈이 해 온 한자 공부는 사회 과목에서 핵심 용어를 파악하는 데 도움을 줍니다.

5학년이 되면 익혀야 할 어휘량이 놀라울 만큼 늘어납니다. 사회의 범위는 '고장'에서 '나라'로, '나'에서 '세계'로 확장되며 내용이 심화됩니다. 학년별 핵심 용어를 정리한 표(197~198쪽)를 보세요. 양도 많을뿐더러 정치, 역사, 경제, 지리 등을 설명하는 필수 어휘는 어렵기도 합니다. 중·고등학교까지도 사용하는 용어를 초등부터 배우게 됩니다. 이때 어휘를 잘 다져놔야 상급 학교 사회 시간에도 헤매지 않습니다.

선생님의 수업을 듣는 것만으로 어휘를 단번에 습득하기는 어려워요. 반복 학습과 예습이 필요한 이유입니다. 디지털 교과서로 예습을 해도 좋고, 방학을 이용하여 EBS에서 제공하는 영상이나 유튜브에서 초등 역사와 관련된 영상을 둘러봐도 좋아요. 흘려들은 내용을 바탕으로 수업 시간에 선생님의 설명을 들으면 개념 어휘 이해가 훨씬 수월해집니다.

얼마만큼, 어떤 어휘를 알아야 할지 기준이 세워지지 않을 때는 교과서의 맨 뒷면을 펼쳐 보세요. 한 학기를 마치며 꼭 알아야 하는 용어가 친절하게 정리되어 있습니다. 오른쪽의 표는 학년별 교과서에 제시된 용어를 정리한 것입니다. 아이가 익혀야 할 용어를 점검하세요. 어렵다고 하여 다른 문제집을 풀 필요는 없습니다. 교과서를 보고 또 보며 완전히 정복하겠다고 생각하세요.

| 초등 사회 학년별 핵심 용어 |

		핵심 용어
3 학년	1학기	개인 정보, 고장, 고장의 안내도, 교통수단, 김장, 누비다, 답사, 디지털 영상 지도, 무선 호출기, 무전기, 문화유산, 민담, 백지도, 생활 모습, 안성맞춤, 위성 영상 정보, 유래, 인터넷, 정보, 중계, 지명, 통신 수단, 항공 사진, 환경, 형태가 있는 문화유산, 형태가 없는 문화유산 등
	2학기	가족 구성, 가족 심리 상담사, 가족회의, 갈등, 강수량, 결혼식, 주례, 고고학자, 문화재 감정 평가사, 보존 과학자, 학예 연구사, 문화 관광 해설사, 고장 안내 책자, 기온, 단오 부채, 재기, 대청마루, 도시, 디지털 영상 지도, 명절, 박물관, 배려, 생활 도구, 세시 풍속, 여가 생활, 역할놀이, 온돌, 움집, 초가집, 기와집, 아파트, 의식주, 인문환경, 자연환경, 조부모, 존중, 집안일, 청동, 핵가족, 혼례, 나무 기러기, 폐백, 혼인, 확대 가족 등
4 학년	1학기	거중기, 견학, 공공 기관, 공청회, 기호, 김만덕, 다수결의 원칙, 등고선, 디지털 문화유산 복원, 목민심서, 무형 문화유산, 문화 관광해설사, 문화유산 안내도, 문화유산 신문, 문화재 지킴이, 방위, 방위표, 배다리, 범례, 서당도, 판소리, 백제 금동 대향로, 세종, 김홍도, 유관순, 시민 단체, 시청, 소방서, 경찰서, 보건소, 우체국, 행정 복지 센터, 유네스코 세계 유산, 유형 문화유산, 의사, 영양사, 소방관, 응급 구조사, 경찰관, 심리 상담사, 인터넷 지도, 지하철 노선도, 안내도, 약도, 길도우미, 점토판에 그린 지도, 나무와 조개로 만든 지도, 가죽에 그린 지도, 정약용, 주민 참여, 중심지, 지도, 지역 문제, 축척, 행정의 중심지, 상업의 중심지, 산업의 중심지, 관광의 중심지 등
	2학기	경제적 교류, 경제 활동, 계단식 논, 고령화, 교류, 교통이 발달한 도시, 공업이 발달한 도시, 계획하여 만들어진 도시, 귀촌, 도시, 문화, 부두, 사례, 사회 변화, 삼림욕장, 상호 의존, 생산, 생산지, 서비스, 세계화, 소비, 시장, 여가 생활, 욕구, 인구, 임산물, 자원의 희소성, 저작권, 저출산, 전통 시장, 할인 매장, 백화점, 인터넷 쇼핑몰, 전문 시장, 정미소, 정보화, 직거래 장터, 촌락(농촌, 어촌, 산지촌), 특산물, 편견, 차별, 해킹 등

		핵심 용어
5 학년	1학기	대륙, 반도, 영역, 영공, 영토, 영해, 위선, 경선, 주권, 해리, 한반도, 산맥, 하류, 휴전선, 철령관, 행정구역, 지형, 기후, 중위도, 대기, 등온선, 강수량, 자연재해, 인구, 인구 구성, 인구 피라미드, 고령 사회, 인구 분포, 인구 밀도, 산업, 서비스업, 생활권, 권리, 인권, 존엄, 활인서, 신문고, 삼복 제도, 국가 인권 위원회, 사회 보장 제도, 헌법, 국민 투표, 헌법 재판소, 개정, 기본권, 평등권, 자유권, 참정권, 청구권, 사회권, 의무, 대체 복무제, 법, 제재, 도덕, 공정, 정의, 준법 등
	2학기	단군왕검, 근초고왕, 광개토대왕, 진흥왕, 해동성국, 불국사, 정효 공주 무덤, 호족, 유교, 과거 제도, 귀주 대첩, 별무반, 삼별초, 팔만대장경, 금속 활자, 고려청자, 신진 사대부, 경국대전, 집현전, 측우기, 의병, 행주 대첩, 남한산성, 탕평책, 실학, 거중기, 풍속화, 세도 정치, 외규장각, 강화도 조약, 갑신정변, 을미사변, 독립신문, 만민 공동회, 대한 제국, 을사늑약, 토지 조사 사업, 신흥 무관 학교, 신탁 통치, 제헌 국회, 인천 상륙 작전, 이산가족 등
6 학년	1학기	정부통령 선거, 유신 헌법, 직선제, 간선제, 계엄군, 시민군, 독재, 만행, 지역 대표, 공청회, 정치, 민주주의, 인간으로서의 존엄성, 자유, 공약, 유권자, 유신 헌법, 다수결의 원칙, 민주정치, 주권, 정변, 국민 주권의 원리, 수반, 국회, 국회의원, 심의, 지방 자치제, 정당, 탄압, 혁명, 행정, 대통령, 법원, 재판, 3심 제도, 양형, 삼권 분립, 가계, 경제 주체, 이윤, 기업, 시장, 윤리적 소비, 합리적 소비, 합리적 의사 결정, 경쟁, 독과점, 규제, 소비재 산업, 경제 개발 5개년 계획, 경공업, 중화학 공업, 국내 총생산, 보급, 한류, 빈부 격차, 무역, 수출, 수입, 자유무역협정(FTA), 관세, 국제기구, 세계 무역 기구(WTO) 등
	2학기	경도, 위도, 적도, 지구본, 세계지도, 디지털 영상 지도, 디지털 지구본, 대륙, 대양, 본초 자오선, 기후, 열대 기후, 건조 기후, 온대 기후, 냉대 기후, 한대 기후, 고산 기후, 유목, 지중해, 국경, 산업, 소수 민족, 중국, 온천, 일본, 화산, 러시아, 독도, 메탄 하이드레이트, 해양 심층수, 정복, 침범, 이산가족, 국방비, 국제 연합(UN), 국제기구, 세계 식량 계획, 국제 연합 아동 기금, 국제 연합 난민 기구, 동질성, 분단, 비무장 지대, 비정부 기구, 국경 없는 의사회, 핵무기 폐기 국제운동, 외교, 온실가스, 지속가능한 미래, 기아, 빈곤, 차별, 편견, 세계시민 등

▪ 출처: 천재출판사 초등 사회 3학년~6학년

사회에서 생각하기

사회 공부를 잘하는 비법은 사회에서 공부하는 것입니다. 글이 아닌 경험으로 배우는 공부입니다. 이미 사회의 구성원으로 살아가고 있는 아이들은 교과서의 학습 내용을 알게 모르게 일상에서 접하고 있습니다. '저출산'으로 인하여 초등학교가 줄어드는 상황, 방정환 선생님의 노력으로 어린이의 '인권'이 신장한 역사, 자전거를 구매할 때 '합리적인 소비'는 무엇인지 몸소 체험하고 있습니다.

사회 공부는 아이의 삶에 녹아 있습니다. 매일 행해지는 사회 활동에 관심을 두고 '왜 이런 현상이 생겨났을까?', '문제를 해결하려면 어떻게 해야 할까?', '오늘 학교에서 배운 내용은 나와 어떤 관련이 있을까?', '주변에서 사례를 찾아볼까?'라는 질문을 던지도록 합니다.

평화로운 질서를 유지하는 데 필요한 사회 구성원, 규칙, 기관, 개인의 가치관 등을 종합적으로 이해한다면 사회 공부는 더 이상 암기 과목이 아닙니다. 내가 살고 있고, 내 가까이 있는 사회에 주의를 기울인다면 친구들과 나누는 카톡 메시지에서도 인권을 찾고 용돈을 쓰면서도 시장을 알게 됩니다.

아이의 일상에서 사회를 이야기하세요. 가까운 곳에서 호기심이 생길 만한 질문을 자주 합니다. '왜 무단횡단을 하면 안 될까?', '관리비의 세부 내역에는 어떤 것들이 있을까?', '이번 휴가는 어디로 가는 게 좋을까?', '우리 시의 시장은 어떤 과정으로 선출된 걸까?', '네비게이션은 어떻게 만들었을까?', '1+1 상품을 사는 게 이익일까?', '달력에서 사회와 관련된 공휴일을 찾아 볼까?' 등 어렵지 않게 질문할 수 있습니다. 의식적으로 생활 속에서 '언제, 어디서, 무엇을, 어떻게, 왜, 누가'라는 육하원칙에 따라 질문을 찾아보세요. 답을 내지 않아도 좋습니다. 대화만으로도 아이와 함께 사회를 탐색하고 사고할 수 있는 계기가 됩니다.

일상의 질문도 사회 교과서처럼 범위를 넓혀 갈 수 있습니다. 사회 문제, 세계적인 사례를 들어 질문하고 대화합니다. 지금 일어나고 있는 뉴스, 아이의 관심사나 흥미와 관련된 주제를 말하면 아이는 더 관심을 보일 거예요. 우리나라의 헌법, 기후 변화, 국제기구, 미국의 정치 등 다양한 주제로 스스럼없이 대화합니다. 딱딱하지 않게 말이지요.

아이와 사회를 말할 때는 어른의 어휘를 충분히 사용합니다. 아이의 교과서에 나오는 명확한 개념어를 활용하면 더욱 좋습니다. 저학년부터 어른과 대화하듯 말해 주세요. 아이가 잘 이해하지 못하면 쉽게 설명합니다. 아이는 고학년이 될수록 부연 설명 없이도 자주 듣는 용어가 무슨 말인지 알게 될 거예요.

생각의 근력을 키우는 과목은 단연 사회가 아닐까 싶습니다. 중·고등학교 사회 시간에는 하나의 주제를 가지고 그야말로 난상 토론이 벌어지기도 하거든요. 안락사를 허용할 것인지, 촉법소년은 정당한지 등 국회의원들도 답을 내지 못하는 사안에 대해 학생들이 논리적으로 자신의 의견을 이야기합니다. 이때 토론자는 학생이 아니라 한 사람의 사회인이에요.

실제 사회 안에서 사회를 배우며 내가 살아갈 인생의 청사진을 그릴 수 있도록 생각의 범위를 확장해 주세요. 다양한 시사 자료를 보며 오가는 대화가 도움이 됩니다. 아이들은 문제집의 문제보다 사회 문제에 귀를 기울이는 사회 구성원으로 자라야 합니다. 사회 안에서 갈등, 협동, 화합을 몸소 배우고 생각하는 아이는 교과 지식도 자기 삶에 십분 활용하게 될 것입니다.

생각하는 역사 공부

초등 사회에서 가장 부담이 되는 영역은 한국사일 거예요. 고조선부터 시작해 6·25 전쟁, 6월 민주화 항쟁 등 기나긴 역사를 초등학생들이 외워야 한다니 앞이 깜깜합니다. '세도 정치', '을사늑약', '유신 헌법' 등 일상에서 쓰지 않는 용어들을 암기해야 합니다. 국, 영, 수 공부하기도 바쁜데 말이죠. 역사를 배우기 시작하는 5학년 2학기부터는 부담이 커집니다.

그래서일까요? 저학년부터 그룹을 지어 박물관 탐방 수업을 다니는 아이들을 종종 봅니다. 유물에 대해 설명하는 선생님을 따라다니는 아이들이 활동지에 부지런히 무언가 적는 모습이 인상적이었어요. 고학년 아이들은 역사 논술 학원에 다니기도 하지요. 역사를 바탕으로 글쓰기를 해야 하는 수행 평가가 많은 탓에 사교육의 힘을 빌리는 것입니다. 한국사 능력 검정 시험을 보는 아이들도 있습니다. 50문항 객관식 시험이어서 기본적으로 암기하고 기출 문제도 풀어야 합니다.

역사가 복병입니다. 박물관 탐방에 역사 논술 학원도 다니고 한국사 능력 검정 시험까지, 한국사 공부를 위해 시간과 공을 들입니다. 이렇게 전략적으로 한국사를 준비하는데도 아이 실력은 탐탁지 않은 가정이 있어요. 이는 아이의 흥미 정도에 따라 학습 내용을 받아들이는 그릇이 다르기 때문입니다.

아이가 역사 마니아라면, 또는 자발적 참여라면 이 모든 활동은 최고입니다. 아이는 신나서 박물관에서 유물을 관찰하고 설명도 놓치지 않을 겁니다. 논술 학원에서도 쓸 말이 넘쳐나고 함께 토론하는 수업이 시간 가는 줄 모르게 재미있을 거예요. 부모가 강요하지 않아도 한국사 능력 검정 시험을 높은 급수로 보고 싶다고 졸라댈 겁니다.

그렇지 않은 평범한 아이라면 역사 공부는 아이의 흥미와 관심도를 높이는 게 우선입니다. 한국사 수업은 큰 흐름은 변하지 않은 채 조금씩 심화하며 고 3까지 이어집니다. 반복 학습이 꾸준히 일어나는 과목이에요. 처음부터 완벽하게 외워야 한다는 생각에 주입식으로 공부하려 든다며 손을 놓고 말아요.

초등 시기에는 역사에 대한 아이의 흥미와 관심을 형성하는 데 주력해야 합니다. 학습 만화, 동영상 자료 등 다양한 매체를 통해 쉽게 설명된 한국사를 자주 접하도록 해 주세요. 시대를 넓게 보고 역사의 큰 흐름을 잡는 게 우선 필요합니다. 역사는 히'스토리'잖아요. 이야기로 받아들여야 해요. 서사가 흘러가듯 머릿속에 그림이 그려지도록 말이지요. 사건 암기나 연도 외우기는 초등 시기에 적합하지 않은 공부 방법입니다.

역사에 대한 흥미를 높인 이후에는 역사를 배우는 본질을 생각합니다. '한국을 빛낸 100명의 위인들'을 외우고, '갑신정변'이 몇 년도에 일어났는지 아는 것이 역사 교육의 본질은 아닙니다. 박물관에서 주입식으로 설명을 듣고 받아 적는 건 아이 지식이 아닙니다. 아이가 스스로 역사를 바라보는 안목을 가졌으면 합니다.

'홍익인간 뜻으로 나라 세우니~'라는 노래를 부른 후엔, '홍익인간은 무슨 뜻일까?', '홍익인간으로 건국 이념을 정한 이유는 무엇일까?', '홍익인간 이념이 지금도 쓰이고 있을까?', '나는 홍익인간인가?'라고 질문하며 생각을 끌어내면 좋겠습니다.

이때에도 부모의 질문이 효과적이에요. 독서, 영상 시청, 박물관 체험 등으로 역사에 대한 흥미 정도를 높인 후 생각할 수 있는 여러 질문을 해 주세요. 역사 사건 내용, 유물이 발생하게 된 계기, 그 당시 상황, 이후 영향, 역사적 가치 등을 물으며 나름의 해석을 할 기회를 주세요. 나의 삶과 연결하여 생각해 볼 질문은 없는지 고민하길 바랍니다.

이렇게 고민하며 역사를 공부하면 아이는 지혜를 배웁니다. 선인들의 경험으로 과거를 배우고 자기 삶을 세우는 자세를 어렴풋이 알게 되지요. 실질적인 수행 평가에도 도움이 됩니다. 고등학교에서도 역사 수행 평가는 사건의 연도가 아닌 당시의 시대 상황, 사회 개혁의 방향, 역사적 가치, 비판하거나 배울 점 등을 묻거든요.

초등 5학년 때 나오는 광개토대왕은 중학교, 고등학교 한국사 교과서에도 나와요. 천천히 알아가도 괜찮습니다. 초등 시기 역사는 전체 흐름을 보고 스토리로 이해하는 과목, 흥미 있게 살피며 삶의 지혜를 배우는 과목으로 인식하면 좋겠습니다. 사건을 맥락으로 이해해야 해요. 다양한 위인을 만나고 삶의 태도를 배웠으면 합니다.

배움 공책 쓰기

사회 과목은 아무래도 외워야 할 내용이 많습니다. 중·고등학교에 가서도 암기해야 하는 내용이 대부분이어서 초등 중학년부터는 천천히 암기하고 공부하는 습관을 들이기를 추천합니다.

선생님마다 다르지만, 초등 3학년이 되면 '배움 공책'을 사용합니다. 배움 공책 활용은 수업 시간에 학습한 내용을 공책에 필기하고 요약, 정리하는 방식입니다. 수업 중 선생님의 수업을 들으며 필기하기도 하고 수업 후 학습 내용을 간추리기도 합니다.

배움 공책은 복습의 효과가 있습니다. 사람은 누구나 배운 내용을 다시 보지 않으면 잊어버립니다. 학습 후 10분 후부터 망각하기 시작하여 1일만 지나도 70%는 잊어버리게 되지요. 한 달이 지나면 80%를 잊으니 아이들이 머리가 나빠서 공부를 못하는 게 아닙니다. 반복적으로 학습해야만 학습 내용이 장기 기억으로 저장될 수 있습니다. 특히 수업 직후에 하는 복습은 시간을 두고 나중에 하는 복습보다 더 효과적이에요.

이러한 이유로 중학년이 되면 담임 선생님들은 배움 공책을 활용합니다. 선생님의 지시에 따라 아이가 배움 공책을 잘 사용하고, 소홀히 하지 않게끔 가정에서도 살펴봐 주세요. 혹시나 담임 선생님이 배움 공책을 활용하지 않는다고 걱정하지 마세요. 가정에서 코넬식 노트 방법으로 배움 공책을 쓰며 아이의 복습을 점검하면 됩니다. 코넬식 노트는 대학생이 되어서도 쓸 수 있는 필기법이니 적극적으로 활용하세요. 참고로 시중에 초등학생을 위한 코넬식 노트가 판매되고 있습니다. 배움 공책으로 사용하기 적합합니다.

| **코넬식 노트 형식** |

코넬식 노트는 크게 네 가지 영역으로 되어 있습니다. '주제', '단서', '필기', '요약'입니다. '주제'는 수업 시간에 배운 단원명이나 주제를 씁니다. '단서'는 키워드를 적습니다. 학습 내용 중 가장 중요하다고 생각하는 핵심 단어를 나열합니다. '필기'는 수업을 들으면서 배운 내용을 자세하게 적어요. 그림이나 그래프가 필요하면 첨부합니다. 모든 내용을 베껴 적는 것이 아니라 왼쪽의 단서에 맞는 내용을 부연 설명하듯 읽기 쉽게 씁니다. 마지막으로 '요약' 부분에는 필기 내용을 참고로 한두 줄로 요약 정리합니다.

코넬식 노트 방법을 활용한 배움 공책은 사회뿐 아니라 모든 과목에도 적용할 수 있습니다. 배운 내용을 가정에서 복습 용도로 활용해 보세요. 다른 과목은 필요한 단원에 따라 활용하되, 사회와 과학 과목은 배움 공책으로 복습하기를 추천합니다. 사회와 과학이 시간표에 있는 날은 집에 와서 배움 공책을 활용하여 적어 봅니다. 암기해서 적기는 힘들 수 있으니 교과서를 보고 정리합니다. 그것만으로도 충분히 복습의 효과가 있습니다.

배움 공책 쓰기가 익숙해지는 고학년이 되면 배운 내용을 암기하여 써 보는 연습도 시도합니다. 수업 중에 들었다고 다 아는 것이 아니기에 암기도 필요합니다. 학습 내용이 많아지는 고학년은 더욱 그렇지요. 자기만의 암기법을 조금씩 알아가는 과정이니 모두 암기해서 적을 필요는 없어요. 배움 공책 쓰기가 점점 체화되면 됩니다.

평가 대비 쓰기

통지표에 숫자로 나타나는 성적은 없지만, 아이들에겐 수행 평가나 단원 평가가 그 자체로 긴장이 됩니다. 개념을 아는 것 같아도 단원 평가지에 쓰인 문제를 보면 쉽게 답이 떠오르지 않습니다. 객관식 문항은 찍기라도 하지만, 개념을 풀어쓰거나 자기 생각을 적는 서술형 문제에는 선뜻 연필이 움직이지 않아요. 평소 교과서 내용을 잘 안다고 자부하던 아이들도 서술형 문제에서 주저하게 되지요.

단원 평가를 보기 전에 교과서에 있는 서술형 문제를 빈 공책에 풀어 보는 건 어떨까요? 미리 연습해 보는 거죠. '방위는 무엇을 뜻하나?'와 같이 개념을 묻는 문항이 있을 테고, '방위가 필요한 이유는 무엇일까?', '방위는 어디에 쓰일까?' 등 개념을 분석, 이해, 적용, 평가하는 문항이 있을 거예요. 개념을 정확히 쓸 수 있다면 개념의 특징, 이유, 문제점, 해결 방안 등으로 생각을 펼치며 논리적으로 쓸 수 있어야 합니다.

예를 들어, '공공 기관이 중요한 까닭', '인종 차별이 일어나는 이유', '인권 문제를 해결하는 방법', '고산 기후로 인한 지리적 특징' 등과 같은 주제도 생각해 볼 수 있습니다. 단순한 지식에서 나아가 주변에서 문제를 찾고 의미와 해결 방안까지 고민하여 생각을 담는 글쓰기를 해야 합니다. 생각을 담는다고 하여 정제되지 않은 생각을 적으면 오답 처리가 됩니다. 교과서의 내용을 충분히 숙지한 후 자기 생각을 교과서에서 제시하는 핵심 어휘를 담아 쓰도록 지도합니다.

중·고등학교 서술형 평가도 마찬가지입니다. 아무리 좋은 의견이어도 질문에서 요구하는 키워드를 쓰지 못하면 원하는 점수를 얻기 어려워요. 늘 답은 교과서에 있습니다. 학습 내용 중 키워드가 무엇인지 명확하게 파악해야 합니다. 주저리주저리 길게 쓰지 않아도 가장 중요한 핵심 단어가 들어가 있어야 해요.

초등학교 단원 평가 만점이 고등학교까지 가는 건 아니지만, 초등 시기부터 평가를 대하는 진정성 있는 태도를 기를 수 있도록 해 주세요. 사회, 과학 과목은 따로 암기하지 않으면 평가 점수가 좋게 나올 수 없습니다. 낮은 성취도는 아이의 학업 흥미도를 떨어뜨리지요. 미리 준비하면 좋은 성과가 나온다는 진리를 아이들 스스로 느끼게 해 주세요. 만점이 아니어도 괜찮아요. 성실히 준비한 과정을 격려해 주세요. 노력이 헛되지 않았다고 느끼며 더 분발하는 힘이 되어줄 겁니다.

신문·소책자 만들기

초·중·고를 통틀어 사회 수행 평가의 단골 과제는 신문 만들기와 소책자 만들기입니다. 평소 만들기와 꾸미기를 좋아하는 아이들이라면 신문·소책자 만들기도 재미있게 할 수 있습니다. 시간적 여유가 있는 방학을 이용하여 하나둘 만들어 보세요. 사회 과목에 관심이 높아지고 자연스러운 글쓰기 공부가 됩니다. 직접 만들며 사회 상식도 풍부해집니다.

신문 만들기는 8절 도화지 한 장을 활용하세요. 가족 신문 만들기, 경제 신문 만들기, 역사 신문 만들기 등 다양한 주제가 가능합니다.

처음 신문을 만든다면 가족 신문을 권합니다. 아이는 기자가 되어 방학 동안 있었던 일을 돌아보고 기사를 씁니다. 가족 구성원 각자에게 중요한 사건을 글로 쓰고 사진을 붙이며 신문의 형태를 갖춥니다. 주목할 만한 생생한 헤드라인 카피도 지어 봅니다. 신문을 만들며 신문의 구성 요소를 알고 신문 기사의 형식은 어떻게 갖추어야 하는지 알 수 있어요.

학교에서 배우는 단원에 맞게 경제 신문을 제작할 수도 있어요. 교과서, 실제 신문, 인터넷 기사, 서적, 사전 등을 활용하여 경제 관련 정보를 찾고 신문 기사를 씁니다. 정확한 정보를 바탕으로 기사를 쓰고 사진이나 그림을 덧붙여 보기 좋게 완성합니다. 기사를 쓸 때는 육하원칙에 따라 써야 한다는 사실에 유념합니다. 예쁘게 꾸미는 것도 중요하지만, 기사의 신뢰성에 더욱 초점을 맞추어 만듭니다. 모르는 경제 용어도 적극적으로 활용합니다.

사회 시간에 가장 많이 만드는 신문은 역사 신문입니다. 역사 신문 만들기는 학창 시절 내내 단골 과제이니 꼭 연습해 보세요. 역사 신문을 만들 때는 시대의 특징과 의의, 위인의 업적, 역사적 사건 등을 주제로 정하여 통일성 있게 제작하는 것이 좋습니다. 사진, 도표, 글 등 충분한 자료 조사를 바탕으로 기사를 만듭니다. 서술 시점은 당시 기자가 쓰는 것 같이 맞추고 육하원칙에 따라 씁니다. 자신이 작성한 신문 기사를 바탕으로 느낀 점, 배울 점, 생각할 점, 본받을 점 등이 담긴 의견을 꼭 서술합니다. 다른 사람의 생각을 그대로 베끼지 않게 유의합니다. 신문의 외관도 신경 쓰면 좋습니다. 기사를 쓸 공간을 나누고 글자 크기, 글자 색깔 등을 달리하여 가독성 좋은 신문을 제작합니다.

다음으로 소책자 만들기입니다. 소책자 만들기는 신문 만들기와 비슷해요. 보통 8쪽에서 12쪽 정도로 만듭니다. 간단하게 A4용지를 활용하거나 시중에 판매되는 소책자를 활용합니다. 주제는 무궁무진해요. 신문 만들기에서 선택한 주제도 괜찮습니다. 또는 문화유산 소책자 만들기, 인물 소책자 만들기, 관광 소책자 만들기, 생활 속 법 소책자 만들기 등 최근 겪은 일, 읽은 책, 교과서 내용 등과 연관 지어 흥미를 끌 만한 주제를 선택합니다. 신문 만들기와 마찬가지로 명쾌한 정보를 담고 자기 생각을 설득력 있게 씁니다.

신문과 소책자 만들기를 하면 학습 내용을 구조화하는 데 도움이 됩니다. 제목 정하기, 기사 선정, 지면 구성, 자료 조사, 기사 쓰기, 편집 등의 과정을 거치며 주도적으로 사회 공부를 할 수 있습니다. 또한 기자, 편집자, 카피라이터 등 다양한 직업의 역할도 알 수 있어요.

신문과 소책자에 들어가는 글은 독자를 고려한 글이기에 정확한 정보 전달을 위한 글쓰기와 함께 호소력 있게 설득하는 글쓰기 연습이 가능하지요. 그래서 예나 지금이나 사회 선생님들이 가장 선호하는 수행 평가 과제입니다.

• 초등부터 고등까지 사회 공부 로드맵 •

초등 사회 공부 로드맵

앞서 다루었던 초등 사회 공부 로드맵을 표로 정리하였습니다. 읽기, 어휘, 생각하기, 쓰기 영역의 큰 흐름을 보며 내 아이의 인지 발달에 맞게 활용하시길 바랍니다.

<table>
<tr><th colspan="2">학년
공부 전략</th><th>3~4학년</th><th>5~6학년</th></tr>
<tr><td rowspan="2">읽기</td><td>교과서 읽기</td><td colspan="2">학습 목표를 달성하도록 여러 번 꼼꼼히 읽기, 디지털 교과서, 사회과부도 활용하기</td></tr>
<tr><td>신문 읽기</td><td colspan="2">어린이 신문 기사 읽기, 사회 연계 도서 읽기</td></tr>
<tr><td>어휘</td><td>단어 익히기</td><td colspan="2">교과서 핵심 용어 익히기(197~198쪽 참조)</td></tr>
<tr><td rowspan="2">생각하기</td><td>사회에서 생각하기</td><td colspan="2">일상에서 사회, 정치, 법, 경제, 문화 등에 대해 질문하고 대화하기</td></tr>
<tr><td>생각하는 역사 공부</td><td>역사에 대한 흥미 갖기
다양한 매체와 경험을 통해 역사 경험하기</td><td>역사의 스토리를 이해하며 공부하기
역사를 배우는 목적을 생각하기</td></tr>
<tr><td rowspan="4">쓰기</td><td>배움 공책 쓰기</td><td>코넬식 노트 방법으로
배운 내용 정리하기</td><td>암기하여 배움 공책 써 보기
나만의 암기법 탐색하기</td></tr>
<tr><td>평가 대비 쓰기</td><td colspan="2">평가에 진지하게 임하기
문제에서 요구하는 키워드 찾아보며 평가 대비하기</td></tr>
<tr><td rowspan="2">신문·소책자 만들기</td><td>가족 신문 만들어 보기</td><td>역사 신문 만들어 보기</td></tr>
<tr><td colspan="2">사회 관련 관심사를 소책자로 만들어 보기</td></tr>
</table>

중학교 사회 공부 로드맵

중학교 사회는 초등 사회의 연장선이지만, 학습 내용이 산더미처럼 많아집니다. 중 1에는 지리, 중 2에는 역사, 중 3에는 일반 사회와 한국 사회의 역사를 다룹니다. 중 1 시기 자유학기제로 수치화된 평가가 없다고 하여 공부를 등한시한다면 지리 영역을 놓치게 됩니다. 따라서 자기 속도에 맞게 교과서에 쓰인 내용은 모두 숙지하도록 공부해야 합니다.

초등 시기와 마찬가지로 개념 어휘를 제대로 아는 것이 중학교 사회 공부의 핵심입니다. 유독 한자어가 개념어로 자주 활용되기에 틈틈이 암기해야 합니다. 정치와 법, 윤리와 사상, 지리 영역에 나오는 용어들은 친구들에게 명확하게 설명할 정도로 익혀야 합니다. 꾸준히 복습하는 것이 벼락치기 공부법보다 유용합니다.

한국사나 세계사와 같은 역사는 시대에 따른 큰 흐름을 잡고 세분화하며 사건, 인물, 영향, 가치 등을 파악합니다. 단편적으로 연도와 어휘만을 외우는 공부법으로는 학습 내용을 충분히 숙지하지 못할뿐더러 응용되어 나오는 시험 문제를 풀 때도 유리하지 않아요. 지식과 자기 생각을 풀어쓰는 서술형 문제에서는 더욱 곤란을 겪게 될 겁니다.

사회는 암기가 필요한 과목입니다. 고등학교까지도 최고의 교재는 교과서입니다. 교과서를 여러 번 충분히 읽으며 큰 맥락 안에서 개념을 학습하면 암기가 쉬워집니다. 목차, 단원명, 소제목 등을 살피고 점점 세분화하여 내용을 요약해 봐야 합니다. 자기 방식으로 교과서 내용이 정리될 때 문제 풀이를 하며 시험에 대비합니다.

고등학교 사회 공부 로드맵

고등학교 사회는 중학교 사회 공부법과 비슷하게 진행하면 됩니다. 다만 국, 영, 수에 공부 시간을 투자하느라 사회 공부가 후 순위로 밀려납니다. 그렇다고 하여 사회가 중요하지 않은 것은 아닙니다. 내신 시험에 대비하며 사회 공부도 신경 써야 합니다.

정치와 법, 윤리와 사상, 경제, 사회 문화, 한국 지리, 세계 지리, 한국사, 세계사 등 배우는 영역은 같습니다. 중학교 시기 배운 내용이 반복되고 조금씩 깊이가 더해집니다. 개념, 정의, 원리를 먼저 정확하게 이해하는 공부법은 변하지 않아요. 초등 시기 배움 공책을 쓰고 중학교에서 요약 정리하며 공부했던 방식을 고등학교에서는 더 정교화합니다. 나만의 개념 노트를 단권으로 만듭니다. 시험 범위에 해당하는 모든 개념의 핵심을 노트에 담고 낱말만 보더라도 정의를 쓸 수 있게 공부합니다.

고 1에는 통합 사회와 한국사를 모든 학생이 배웁니다. 중학교의 연장선에 있어요. 고 2가 되면 선택 과목입니다. 한국 지리, 세계 지리, 세계사, 동아시아, 경제, 정치와 법, 사회 문화, 생활과 윤리, 윤리와 사상 등의 과목에서 아이들이 진로에 따라 선택합니다. 수능 한국사는 필수 과목이어서 수험생 모두가 시험을 치릅니다. 절대 평가로 이루어집니다. 나머지 과목은 '생활과 윤리', '사회 문화' 등 아이들의 선택에 따르지요.

수능 과목이 아니라고 하여 고 1 통합 사회를 간과하면 안 됩니다. 수시 전형에 필요한 내신 점수에 포함되기 때문입니다. 또한 통합 사회는 수능 사회 탐구 과목의 기본이며 연계되어 있습니다.

수능을 위한 공부는 3학년 2학기면 충분합니다. 이전까지는 내신 공부가 곧 수능 공부입니다. 평소 모르는 내용이 있으면 선생님께 적극적으로 묻고 완전히 학습 내용을 이해합니다. 개념을 익힌 후에는 기출 문제와 예상 문제를 충분히 풀며 시험을 준비합니다. 물론 수행 평가 준비도 철저히 해야 합니다.

사회 과목의 학습 내용을 골고루 아는 것은 당연히 교과목 공부에도 도움이 되지만, 수능의 국어와 영어에도 긍정적인 영향을 줍니다. 소위 말하는 비문학 지문의 내용은 듣지도 보지도 못한 곳에서 나오지 않습니다. 교육 과정 범위 내에서 출제되는 경우가 다수입니다. '암기 과목은 싫어요.', '이공 계열로 전공할 거예요.'라며 사회 과목을 외면하면 안 되는 이유이기도 합니다. 고등학교까지도 학교에서 배우는 모든 과목은 그 의미와 가치가 있습니다.

초등 과학 공부 · 기본 전략

일상에서 관찰과 탐구로 과학 원리 이해하기

'과학'은 초등 3학년부터 교과목이 생깁니다. 초등 1, 2학년에는 '슬기로운 생활'에 있다가 초등 3학년이 되어서야 고등학교까지 이어지는 '과학' 과목이 등장하는 거죠. '과학'은 고등학교 1학년의 '통합과학', '과학탐구실험' 그리고 고등학교 선택 교육 과정의 '물리학Ⅰ', '화학Ⅰ', '생명과학Ⅰ', '지구과학Ⅰ', '물리학Ⅱ', '화학Ⅱ', '생명과학Ⅱ', '지구과학Ⅱ', '과학사', '생활과 과학', '융합과학' 과목들과 긴밀한 연계로 이어집니다.

겁낼 필요는 없어요. 초등 과정의 '과학'은 호기심에서 시작합니다. 수업 시간에 실시하는 다양한 실험은 아이들의 눈을 반짝거리게 하지요. 아이들은 눈으로 보고 손으로 만지며 실험합니다. 한껏 흥분하며 수업에 임합니다. 즐거움 속에서 과학을 경험하며 과학의 핵심 개념을 하나둘 알아갑니다.

학습 만화 덕분인지, 요즘은 아이들의 '과학'에 대한 호감도도 높습니다. 어디서 들어본 것 같은 개념과 익숙한 실험 과정은 학습 내용을 쉽게 받아들이게 합니다. 학습 만화를 보지 않는 아이들도 의자에서 엉덩이를 떼고 친구들과 논의하는 시간이 많아서인지 과학 수업을 기다려지는 수업 시간으로 꼽습니다. 이 관심만 쭉 이어가게 해도 초등 과학 공부는 다 한 겁니다.

초등학교에서는 '물의 여행', '에너지와 생활'을 배우고, 중학교에서는 '과학과 나의 미래', '재해·재난과 안전', '과학 기술과 인류 문명'을 배웁니다. 이후 고등학교에서는 이전보다 넓고 깊이 있는 지식을 쌓게 되지요. 초등 과정은 기본 개념을 익히고 과학적 탐구심의 기반을 닦는 시기입니다. 아이의 과학적 탐구심을 높이는 데 주력하세요. '과학은 재미있는 과목', '과학은 유용한 과목', '더 알고 싶은 과목'이라고 느끼게 해 주세요.

| 학년이 오를수록 성적도 오르는 초등 과학 공부 전략 |

읽기	어휘	생각하기	쓰기
• 과학 교과서 읽기 • 학습 만화·과학 잡지 읽기	• 교과서 어휘 잡기	• 일상이 곧 과학 • 경험으로 과학적 사고 넓히기	• 배움 공책 쓰기 • 평가 대비 쓰기 • 탐구 보고서 쓰기

| 2015 개정 교육 과정 초등 과학 내용 체계 및 내용 요소 |

과학	내용 요소	
학년 / 영역	3~4학년	5~6학년
힘과 운동	• 무게 • 수평 잡기 • 용수철 저울의 원리	• 속력 • 속력과 안전
전기와 자기	• 자기력 • 자석의 성질	• 전기 회로 • 전기 절약 • 전기 안전 • 전자석
열과 에너지		• 온도 • 전도, 대류 • 단열
파동	• 소리의 발생 • 소리의 세기 • 소리의 높낮이 • 소리의 전달 • 빛의 직진 • 그림자 • 평면거울 • 빛의 반사	• 프리즘 • 빛의 굴절 • 볼록 렌즈
물질의 성질	• 물체와 물질 • 물질의 성질 • 물체의 기능 • 물질의 변화 • 혼합물 • 혼합물의 분리 • 거름 • 증발 • 고체, 액체, 기체 • 기체의 무게	• 용해 • 용액 • 용질의 종류 • 용질의 녹는 양 • 용액의 진하기 • 용액의 성질 • 용액의 분류 • 지시약 • 산성 용액 • 염기성 용액 • 공기 • 산소 • 이산화탄소 • 온도에 따른 기체 부피 • 압력에 따른 기체 부피
물질의 변화	• 물의 상태 변화 • 증발 • 끓음 • 응결	• 연소 현상 • 연소 조건 • 연소 생성물 • 소화 방법 • 화재 시 안전 대책
생명 과학과 인간의 생활	• 생활 속 동·식물 모방 사례	• 균류, 원생생물, 세균의 이용 • 첨단 생명과학과 우리 생활
생물의 구조와 에너지		• 현미경 사용법 • 세포 • 핵 • 세포막 • 세포벽 • 뼈와 근육의 구조와 기능 • 소화·순환·호흡·배설 기관의 구조와 기능 • 뿌리, 줄기, 잎의 기능 • 증산 작용 • 광합성 • 감각 기관의 종류와 역할 • 자극 전달 과정

과학 영역 \ 학년	내용 요소	
	3~4학년	5~6학년
생명의 연속성	• 동물의 한살이 • 완전·불완전 탈바꿈 • 식물의 한살이 • 씨가 싹트는 조건 • 동물의 암·수 • 동물의 암·수 역할 • 다양한 환경에 사는 동물과 식물 • 동물과 식물의 생김새 • 특징에 따른 동물 분류 • 특징에 따른 식물 분류	• 씨가 퍼지는 방법 • 균류, 원생생물, 세균의 특징과 사는 곳
환경과 생태계		• 생물 요소와 비생물 요소 • 환경 요인이 생물에 미치는 영향 • 생태계의 구조와 기능 • 환경 오염이 생물에 미치는 영향 • 생태계 보전을 위한 노력 • 먹이 사슬과 먹이 그물 • 생태계 평형
고체 지구	• 지구의 환경 • 화산 활동 • 지진 • 지진 대처 방법 • 흙의 생성과 보존 • 풍화와 침식 • 화강암과 현무암 • 퇴적암 • 지층의 형성과 특성 • 화석의 생성 • 과거 생물과 환경	
대기와 해양	• 바다의 특징 • 물의 순환	• 습도 • 이슬과 구름 • 저기압과 고기압 • 계절별 날씨
우주	• 지구와 달의 모양 • 지구의 대기 • 달의 환경	• 태양 • 태양계 행성 • 행성의 크기와 거리 • 낮과 밤 • 계절별 별자리 • 달의 위상 • 태양 고도의 일변화 • 별의 정의 • 북쪽 하늘 별자리

▪ 출처: 초등 2015 개정 교육 과정

과학 교과서 읽기

초등 과학은 〈과학〉과 〈실험 관찰〉, 두 개의 교과서로 구성되어 있습니다. 〈과학〉은 개념을 설명하는 책이고, 〈실험 관찰〉은 실험 후 관찰한 내용을 쓰는 워크북입니다. 수업 시간에 선생님은 〈과학〉 교과서로 수업을 시작하고 부연 설명이나 실험 후 〈실험 관찰〉로 아이들의 학습 상태를 점검합니다.

〈과학〉 교과서도 〈사회〉와 마찬가지로 디지털 교과서를 십분 활용하길 권합니다. 수업 시간은 한정적이어서 모든 실험을 할 수 없잖아요. 집에서도 실험까지 따로 챙길 수 없고요. 이때 디지털 교과서를 펼치면 클릭을 통해 관련 실험 영상을 손쉽게 볼 수 있습니다. 생생한 실험 과정이나 참고 자료를 보면 개념이 더욱 쉽게 이해됩니다.

문제집보다 효율성이 뛰어난 교재는 교과서입니다. 교과서를 면밀하게 살피고 각 단원의 학습 목표에 도달할 수 있어야 합니다. 실험이나 탐구 과정을 놀이로 끝내는 것이 아니라 도출된 결과에 과학 용어를 올바르게 활용하여 설명할 수 있어야 합니다.

그리고 아이의 〈실험 관찰〉 교과서를 수시로 확인하세요. 수업 시간에 배운 내용을 제대로 적었는지 체크합니다. 단원 평가를 대비하여 〈실험 관찰〉 교과서에 있는 문제를 다시 풀어 보는 것도 좋습니다. 〈실험 관찰〉은 보통 서술형 문항입니다. 실험의 과정, 탐구 결과, 생각 등을 적어 내는 문제예요. 모호한 표현이 아닌 명확한 과학 용어를 쓸 수 있는지 아이의 학습 상태를 객관적으로 파악합니다.

3~4학년까지만 해도 신나게 참여했던 과학 수업은 5~6학년이 되면 어려워집니다. 학습량이 많아지고 용어도 어려워지거든요. 이때는 암기가 필요합니다. 〈과학〉과 〈실험 관찰〉 교과서를 기반으로 복습을 이어 가되 단원 평가가 예시된 경우엔 개념을 정확하게 암기합니다.

과학 과목의 필수 학습 내용은 크게 '운동과 에너지', '물질', '생명', '지구와 우주'로 구분할 수 있습니다. 나중에 배우는 '물리', '화학', '생명과학', '지구과학'과 일맥상통합니다. 고등학교만 가도 과학 과목은 영역에 따라 호불호가 갈리지요. 초등 시기에는 각각의 영역마다 열린 마음으로 공부합니다. 생활과 연관되어 자연 현상과 원리를 공부하는 과목의 장점을 설명하며 모든 영역에 호감이 생기도록 해 주세요.

과학은 수학처럼 이전 단계를 모르면 다음 단계를 이해하기 어려운 과목은 아닙니다. '물리', '화학', '생명과학', '지구과학'에서 같은 내용이 학년이 오를수록 점점 그 범위가 넓어진다고 생각하세요. 따라서 단원 평가에서 만점을 못 받았다고 실망하지 않아도 됩니다. 초등 시기에는 핵심 지식만 잘 파악하고 있다면 잘하고 있는 겁니다.

학습 만화·과학 잡지 읽기

과학에 특별히 재능을 보이지 않더라도 아이들은 학습 만화책인 〈WHY 초등과학학습만화 시리즈〉를 좋아해요. 이 책은 '요리 과학, 과학 법칙, 첨단 소재, 기생충, 약물과 치료' 등 다양한 과학 주제를 다루는 학습 만화책입니다. 보통 학교 도서관에 가면 만화책이 너덜너덜해져 있죠. 부모들은 '쓸데없이 만화책만 읽고 있네.'라며 눈살을 찌푸리기도 합니다.

부모 눈에 만족스럽지 않지만, 학습 만화책이 꼭 해롭지만은 않아요. 고등학교 상위권 아이들, 우리나라 유수의 대학에 들어간 아이들도 초등 시절에 〈WHY 초등과학학습만화 시리즈〉를 자주 봤다는 경우가 허다합니다. 이 책 때문에 과학 시간이 재미있었다는 아이들, 이 책 때문에 과학 상식이 늘었다는 아이들을 고등학교 교실에서 종종 봅니다.

중·고등학생만 되어도 이 책을 볼일은 거의 없습니다. 초등 시기에 과학을 훑으며 과학적 호감도를 높일 수 있는 효과적인 방법은 학습 만화책이 아닐까 싶어요. 아이가 과학을 좋아해서 학습 만화책을 찾는다면 그대로 두세요. 도통 과학과는 거리가 있다면 슬쩍 관심사와 연관된 학습 만화책을 추천해 주어도 좋습니다. 다만, 과학 학습 만화책만으로 깊이 있는 지식을 쌓기는 어렵습니다. 가볍게 읽고 즐길 정도로 권해 주세요.

유독 과학에 높은 관심을 보이는 아이들이 있지요. 중학년 정도 되면 적성이 조금씩 보이는데요. 평소 실험을 좋아하고 과학적 탐구심이 돋보이는 아이들에겐 과학 잡지를 권장합니다. 교과와 연계된 과학 상식, 최신 과학 뉴스, 집에서 할 수 있는 과학 실험, 학습 만화 등 내용이 다채롭게 담겨 있습니다. 월 1~2회 잡지를 받아 보면 지적 호기심을 채우며 진로와도 이어지는 계기가 되기도 합니다. 〈어린이 과학동아〉, 〈과학소년〉 등이 인기가 많아요. 가까운 도서관에서 읽어 보며 아이의 반응을 먼저 확인하세요.

학습 만화책, 과학 잡지, 과학 관련 서적 등 아이들이 과학을 접할 수 있는 책들은 종류도 다양하고 많습니다. 재미있어서 보고 또 보기도 해요. 사달라고 조르기도 하고요. 하지만 기억하세요. 이런 책들을 읽는다고 학교 공부를 잘하는 건 아닙니다. 이 책들은 어디까지나 과학 상식을 풍부하게 해 주는 부차적인 용도일 뿐, 핵심 공부 내용은 교과서에 담겨 있습니다. 과학에 관한 관심도를 위해 적절하게 활용하세요.

교과서 어휘 잡기

과학 과목도 사회 과목처럼 어휘가 곧 개념입니다. 교과서를 중심으로 낯선 어휘, 개념 낱말을 익힙니다. 〈과학〉 교과서의 목차를 보면 어떤 영역을 배우는지 알 수 있어요. 학습 내용이 그다지 많지 않기에, 단원 평가 전이나 방학을 활용하여 교과서 기본 어휘를 익히도록 해 주세요.

단원명을 꼼꼼히 보고, 교과서의 본문 중 굵은 글씨는 제대로 알고 넘어갑니다. 평소 쓰지 않는 별자리 이름이나 과학적 이론의 개념은 암기를 좀 해야 해요. '침식', '퇴적', '단열', '굴절' 등 한자어 개념은 평소 한자를 익혀 두면 이해가 쉬워집니다. 일상에서 아이와 대화할 때도 교과서에 쓰인 과학 용어들을 곁들여 대화해 보세요. '기압', '습도', '생태계', '광합성', '현무암' 등의 과학 용어를 일상에서 접한다면 과학 개념이 만만해집니다.

그렇다고 과학에 너무 힘을 들이지는 마세요. 과학 수업으로 한 학년 동안 '운동과 에너지', '물질', '생명', '지구와 우주' 네 개의 영역을 골고루 경험합니다. 학년이 오른다고 영역이 바뀌지는 않고, 이전에 배운 개념에서 조금씩 심화하여 들어갑니다.

예를 들어 3학년 2학기에 '지구와 우주' 영역에서 '지구, 달, 육지, 사막' 등의 용어를 접하고 4학년 2학기에는 '화산, 지진, 현무암, 화강암'을 배웁니다. 5학년 1학기에는 '태양계, 대표 별자리'를 배운 후 6학년 1학기에는 '지구의 자전, 지구의 공전, 계절별 별자리'를 익힙니다. 3학년에 '지구'에 대한 내용을 잘 익히지 못했더라도 다음 학년에서 반복적으로 나오며 충분히 자기 지식으로 만들 수 있어요. 제 학년에 맞추어 개념을 익히는 것이 최고의 방법이겠지만, 부담되지 않을 정도로 복습하며 어휘에 익숙해지도록 합니다.

모든 과목이 그렇지만, 아이가 지금 어떤 단원을 배우는지 교과서를 늘 살펴 주세요. 오가며 무얼 배웠는지 묻고 관심 가져 주세요. 그리고 선생님이 제공하는 주간 학습 계획표를 보며 단원 평가가 있는 날은 신경 써서 개념 어휘를 챙기세요. 직접 말로 설명해 보고 글로 써 보기도 하며 과학 어휘력을 높입니다.

| 초등 과학 학년별 핵심 용어 |

		핵심 용어
3 학년	1학기	탐구, 과학, 과학의 탐구 과정, 관찰, 분류, 분류 기준, 현미경, 청진기, 측정, 예상, 규칙성, 추리, 의사소통, 결과, 용어, 물질, 물체, 금속, 플라스틱, 나무, 고무, 유리, 물질의 성질, 쓰임새, 물질의 성질 변화, 알긴산 나트륨, 젖산 칼슘, 페트리 접시, 유리 막대, 암수, 암컷, 수컷, 생김새, 동물의 암수 역할, 동물의 한살이, 알, 애벌레, 배추흰나비, 번데기, 어른벌레, 마디, 머리, 가슴, 배, 날개, 완전 탈바꿈, 불완전 탈바꿈, 새끼, 임신 기간, 자석, 철, 자석의 극, N극, S극, 나침반, 방향, 북쪽, 남쪽, 지구, 표면, 빙하, 사막, 골짜기, 육지, 바다, 공기, 생물, 온도, 달, 달의 바다, 충돌 구덩이 등.
	2학기	탐구 문제, 탐구 계획, 예상, 탐구 순서, 해결, 공벌레, 직박구리, 분류 기준, 고라니, 땅강아지, 지느러미, 다슬기, 갯벌, 극지방, 드론, 전신 수영복, 모방, 로봇, 반려동물, 수의사, 반려동물 사진작가, 반려동물 훈련 상담사, 반려동물 장의사, 지표, 흙, 부식물, 알갱이, 침식 작용, 운반 작용, 퇴적 작용, 강 상류, 강 하류, 파도, 절벽, 김해평야, 물질의 성질, 쌓기나무, 용기, 모양, 부피, 고체, 액체, 기체, 무게, 상태, 우블렉, 소리, 소리굽쇠, 스피커, 화재, 재난, 전시관, 비상벨, 음판, 소리의 높낮이, 전달, 소리의 반사, 소음, 방음벽, 층간 소음 방지 매트, 음성 인식, 수조, 비커 등.
4 학년	1학기	측정, 예상, 압축, 지층, 수평인 지층, 휘어진 지층, 끊어진 지층, 화석, 산기슭, 줄무늬, 퇴적암, 퇴적물, 역암, 사암, 이암, 동물 화석, 식물 화석, 몸체, 흔적, 생김새, 모형, 시기, 고생물학자, 화석 연료 연구원, 자연사 박물관 큐레이터, 관찰 기록장, 싹, 떡잎, 본잎, 뿌리, 줄기, 잎, 양분, 잎자루, 꼬투리, 한해살이 식물, 여러해살이 식물, 식물 공장, 영양분, 저울, 측정, 상품, 가격, 양팔저울, 수평 잡기, 용수철, 용수철저울, 용수철의 성질, 대저울, 약저울, 혼합물, 잡곡, 금광석, 체, 알갱이, 거름 장치, 눈금실린더, 깔때기, 거름종이, 스포이트 등.
	2학기	잎맥, 촉감, 잎자루, 줄기, 뿌리, 부레옥잠, 선인장, 표면적, 가시, 적응, 비로용담, 담자리꽃나무, 퉁퉁마디, 갯메꽃, 덩굴장미, 지느러미엉 겅퀴, 단풍나무 열매, 부들, 줄, 갈대, 용설란, 바오바브나무, 퉁퉁마디, 해홍나물, 비로야자, 토란잎, 연잎, 공기주머니, 잔뿌리, 수증기, 무게, 증발, 끓음, 응결, 제빙기, 제습기, 스팀다리미, 과일건조기, 그림자, 거울, 투명, 불투명, 빛의 직진, 스크린, 빛의 반사, 화산, 지진, 지표, 분출, 화산 분출물, 화산재, 분화구, 용암, 화산 암석 조각, 화산 가스, 마그마, 현무암, 화강암. 표면, 피해, 이로움, 관광 자원, 지구 내부, 규모, 지진의 세기, 지진 발생 지역, 지진의 피해, 인명 피해, 재산 피해, 대비, 대처, 독도, 화산섬, 첨성대, 불국사, 물의 순환, 생명체, 빗물 저금통, 저수지, 댐, 이슬, 구름, 눈, 알코올램프, 쇠그물, 점화기, 확대경, 삼발이, 보안경 등.

		핵심 용어
5 학년	1학기	문제 인식, 가설 설정, 변인 통제, 자료 해석, 결론 도출, 온도, 측정, 어림, 변색, 유지, 접촉, 열이 이동, 섭씨도, 전도, 단열, 대류, 친환경, 공기층, 적외선 온도계, 알코올 온도계, 온도계, 우주, 환경, 탐사선, 에너지, 북쪽, 방위, 에너지원, 천체, 밤하늘, 관측, 태양계, 행성, 수성, 금성, 화성, 목성, 토성, 천왕성, 해왕성, 고리, 북쪽, 별자리, 별, 큰곰자리, 카시오페아자리, 작은곰자리, 북두칠성, 북극성, 인공위성, , 실온, 사해, 눈금, 지하수, 화산 가스, 용질, 용매, 용해, 용액, 탄산 칼슘, 입욕제, 현미경, 영구 표본, 양분, 나선, 분해, 메주, 농약, 식품, 광학 현미경, 대물렌즈, 접안렌즈, 회전판, 재물대, 조동 나사, 미동 나사, 조리개, 조명, 짚신벌레, 해캄, 원생생물, 버섯, 곰팡이, 균류, 첨단 생명 과학, 발효 등.
	2학기	물사슴, 겨울잠, 하수, 보전, 생물, 생태계, 생물 요소, 비생물 요소, 생산자, 소비자, 분해자, 먹이 사슬, 먹이 그물, 생태계 평형 황폐, 환경 오염, 매연, 생태계 보전, 정화, 복원, 생태 통로, 멸종 위기, 퍼센트, 응결, 온풍, 상대적, 습하다, 방한, 전략, 지상, 습도, 건습구 습도계, 이슬, 안개, 구름, 비, 눈, 기압, 저기압, 고기압, 풍등, 바람, 날씨 마케팅, 기상 관측소, 기상청, 예보, 규제, 제한, 범퍼, 운동, 속력, m/s, km/s, 봅슬레이, 안전모, 안전 장치, 안전 수칙, 산, 염기, 용액, 분류, 점적병, 당아욱꽃, 대리암, 비린내, 구연산, 제산제, 산림, 지시약, 산성 용액, 염기성 용액, 리트머스 종이, 페놀프탈레인 용약, 염산, 수산화 나트륨, 산성화, 구연산, 살균 등,
6 학년	1학기	이산화 탄소, 일반화하기, 낮, 밤, 주기적, 주기, 지구의 자전, 계절별 대표적인 별자리, 지구의 공전, 지구 중심설, 태양 중심설, 목동자리, 사자자리, 처녀자리, 거문고자리, 백조자리, 독수리자리, 물고기자리, 안드로메다자리, 페가수스자리, 쌍둥이자리, 큰개자리, 오리온자리, 녹, 연료, 기포, 부피, 혼합물, 드라이아이스, 에어백, 대기 오염, 그을음, 복원, 산소, 헬륨, 질소, 수소, 피스톤, 세포벽, 핵, 세포막, 뿌리털, 증산 작용, 광합성, 광합성 산물, 꽃가루받이, 수분, 꽃받침, 꽃잎, 수술, 암술, 기관, 줄기, 뿌리, 무지개, 굴절, 프로젝터, 프리즘, 빛의 굴절, 볼록 렌즈, 쌍안경 등.
	2학기	전지, 감전, 기중기, 전기 회로, 전지, 전구, 전선, 전기, 직렬연결, 병렬연결, 절약, 안전, 전자석, 영구 자석, 태양 고도, 태양 고도 측정기, 그림자 길이, 계절의 변화, 남중 고도, 자전축, 연소, 소화, 예방, 성냥갑, 스프링클러, 진압, 방열, 용광로, 발화점, 염화 코발트 종이, 석회수, 방화복, 외곽선, 형태, 지탱, 위팔, 수축, 이완, 영양소, 유지, 혈액, 노폐물, 심폐 소생술, 자극, 감각, 운동 기관. 맥박, 질병, 기관, 뼈, 근육, 입, 식고, 위, 작은창자, 큰창자, 항문, 간, 쓸개, 이자, 심장, 혈관, 심장 박동, 코, 기관지, 폐, 노폐물, 콩팥, 오줌관, 방광, 요도, 배설 기관, 감각 기관, 호흡 기관, 운동 기관, 순환 기관, 소화 기관, 수축, 이완, 경사면, 석탄, 석유, 에너지 자원, 압력, 열에너지, 전기 에너지, 빛에너지, 화학 에너지, 운동 에너지, 위치 에너지, 에너지 전환, 효율적 등.

▪ 출처: (주)지학사 초등 과학 3학년~6학년

일상이 곧 과학

초등 모든 학년의 〈과학〉 교과서 첫 단원은 '과학 탐구'로 시작합니다. 과학은 자연 현상을 바르게 이해하고 탐구하는 활동입니다. 우리가 아침에 일어나 잠들기까지, 아니 잠들어 있는 상황까지 모든 일상이 과학의 영역이지요. 사람은 왜 잠을 자야 하는지, 하늘은 왜 파란색인지, 물을 먹으면 몸에서 어떤 변화가 일어나는지, 닭은 어떻게 크는지 등 질문 하나하나가 과학적 탐구의 과제가 됩니다.

과학자는 자연 현상과 사물에 깊은 호기심을 가지고 탐구하며 문제를 해결하는 사람이지요. 에디슨도 아인슈타인도 '왜?'라는 궁금증에서 연구를 시작했습니다. 모든 자연 현상과 사물에 당연한 것은 없다는 생각에서부터 과학 탐구가 시작되지요.

과학자의 눈으로 일상을 바라보면 아이들의 과학적 사고력도 높아집니다. 현미경이나 천체 망원경을 들여다보지 않아도 주변을 면밀하게 관찰하는 시각이 필요해요. 실험실이나 천문대에 가지 않아도 주변에 일어나는 현상에 질문을 던지며 과학적 사고가 싹틉니다.

'비누는 어떻게 만들어졌을까?', '차가운 음료수 캔을 밖에 두면 왜 물방울이 맺힐까?', '고무줄은 잡아당겨 늘인 다음 놓으면 왜 원래 길이로 돌아갈까?', '두부는 어떻게 만들지?', '귀가 크면 소리를 더 잘 들을까?', '그림자는 왜 생길까?', '아빠는 왜 코를 골까?' 등 주변을 둘러보면 과학적인 의문투성입니다.

아이가 이런 질문을 한다면 머릿속에서 과학적 사고가 팡팡 터지고 있는 것이니, "몰라도 돼."라고 대답하지 말고 탐구 문제를 설정하고 고민할 수 있도록 도와주세요. "정말 왜 그럴까?"라고 물으며 함께 고민해 보세요. 직접 두부를 만들어 보아도 좋고, 두부가 만들어지는 영상으로 간접 체험을 한다면 궁금증이 조금씩 풀릴 겁니다. 책을 통해 호기심을 해결하는 방법도 있지요.

주변에 별 관심을 보이지 않는다면, 부모님이 먼저 주변을 관찰하고 아이에게 '왜 그럴까?', '어떻게 된 걸까?', '무엇일까?'라며 질문하세요. 여러 가지 현상을 달리 보며 주변을 관찰합니다. 동물의 생김새, 식물이 자라는 과정, 날씨의 변화, 요리의 순서, 주변의 소리, 신체의 움직임, 가전제품의 작동 원리 등에 여러 질문을 담아 아이의 과학적 사고력을 자극합니다.

유명하다는 과학 학원을 다니지 않아도 됩니다. 가정에서 대단하게 무슨 실험을 하지 않아도 괜찮습니다. 탐구 문제를 설정하고 해결하며 결과를 도출하지 않아도 됩니다. 그저 주변에서 탐구할 만한 주제를 찾고 구체적으로 질문해 주세요. 길가에 핀 민들레 하나에도 궁금증이 생기도록 생각의 스위치를 켜 주세요.

경험으로 과학적 사고 넓히기

일상생활에서 궁금한 점은 직접 실험하거나 서적, 영상을 통해 해결할 수 있습니다. 아무래도 직접 만지며 체험한 경험은 잘 망각되지 않지요. 아이의 과학적 호기심을 높일 수 있는 경험으로 체험 위주의 과학관을 추천합니다.

전국에는 아이들이 보고, 듣고, 만지며 체험할 수 있는 과학관이 많습니다. 과학관, 생태 체험관, 농업 과학관, 천문 과학관, 우주과학관 등 분야별로 곳곳에 자리하고 있으며 다양한 프로그램을 운영하고 있습니다. 아이들은 직접 경험하기 힘든 지진, 천둥, 스마트 농업 기술 등을 과학관에서 체험할 수 있습니다. 놀이처럼 경험하면서 과학적 흥미도가 높아집니다.

과학적 이론 설명도 되어 있긴 하지만, 지식을 쌓겠다는 기대는 하지 마세요. 즐겁게 놀면서 과학에 흥미를 높이자고 다짐하는 편이 낫습니다. 가벼운 마음으로 가까운 과학관으로 나들이한다고 생각하세요. 갔다 온 후 과학적 개념 하나 말하지 못한다고 실망하지 마세요. 아이는 직접 경험하며 과학에 특별한 흥미가 생겼을 겁니다.

시대가 변하면서 과학도 최첨단을 달리고 있습니다. 과학은 계속 발전을 거듭할 겁니다. 그렇기에 아이들의 삶 속에는 이미 들어와 있으나 교과서에는 아직 등장하지 않은 과학 지식도 존재하지요.

최신 뉴스를 통해 과학이 어떻게 변화되어 가고 있는지 가정에서 자주 이야기해 주세요. 4차 산업 혁명 시대를 살아가는 아이들이 미래를 내다볼 수 있는 과학적인 시대감각을 길렀으면 합니다. 유명한 과학자들의 연구 과정을 이야기하며 간접 경험을 제공하세요. 첨단 과학으로 인해 발생하는 사회 문제도 대화를 통해 고민하며 과학적 문제 해결 능력을 키워 주세요.

배움 공책·평가 대비 쓰기

과학 과목은 사회와 마찬가지로 외우는 과정이 필요합니다. 앞서 '사회' 과목 영역에서 코넬 노트 형식을 활용한 배움 공책 쓰기를 말씀드렸습니다. 필요에 따라 과학도 배운 내용을 한 단원씩 쓰며 정리해 보세요. 꼭 암기하여 쓰지 않아도 됩니다. 아이가 부담을 갖지 않고 배운 내용을 정리하도록 합니다.

단원 평가가 있을 때는 핵심 개념을 말로 설명하거나 빈 종이에 쓰도록 합니다. 〈실험 관찰〉 교과서에 있는 문항에 대한 답을 하나둘 써 보며 평가에 대비합니다. 평가에서 틀린 문항이 있다면, 다시 살펴보고 명확히 짚고 넘어갑니다.

탐구 보고서 쓰기

과학도 '쓰기'가 필요할까요? 글쓰기는 문과 특화 분야라고 생각하기 쉽지만 과학을 전공하는 사람들에게도 글쓰기는 필수 역량입니다. 과학자의 위대한 탐구 계획과 결과는 보고서로 쓰입니다. 보고서를 어떻게 쓰느냐에 따라 전달되는 정보가 달라지지요. 보고서를 읽는 사람은 보통 과학을 전공하지 않은 사람들인 경우가 많습니다. 전문 용어만 난무하거나 체계 없이 쓰인 보고서는 탐구 업적마저 퇴색하게 만듭니다.

그런 이유에서 과학자도 글쓰기 능력을 갖추어야 합니다. 베스트셀러 과학 도서인 〈이기적 유전자〉를 쓴 리처드 도킨스도, 〈시간의 역사〉를 쓴 스티븐 호킹도 모두 과학자입니다. 과학자에게 글쓰기란 연구 성과를 명확히 전달하고 대중과 소통하는 중요한 수단입니다.

물론 과학 분야에서 쓰이는 글쓰기는 일기 쓰기와는 차원이 다르지요. 겪은 일이나 느낀 감정을 전달하는 글이 아닌 객관적인 사실을 논리적으로 풀어내는 글쓰기입니다. 탐구의 과정을 논리 정연하게 체계화하고, 있는 사실을 정확하게 전달해야 하지요. 논리적으로 원인, 과정, 결과를 풀어냅니다. 그러면서도 읽는 사람이 이해하기 쉽게 내용을 전달해야 합니다.

객관적인 글쓰기 훈련을 염두에 두고 초등 시기에는 탐구 보고서 쓰기를 시도할 수 있습니다. 초등 과학은 실험과 탐구가 주된 활동입니다. 대부분 활동 후 보고서를 쓰며 탐구 내용을 정리합니다. 실험은 재미있게 하고선 탐구 과정과 결과를 제대로 적어 내지 못하는 아이들이 많아요. 일기처럼 쓰인 글, '~한 것 같다.'라는 어미로 끝나는 글, '탐구 결과'가 생략된 글 등은 읽는 사람에게 신뢰를 주지 못합니다.

탐구 보고서는 초등부터 고등 3학년까지 이어지는 과학 과목의 대표 수행 평가 형식입니다. 초등 시기부터 올바르게 쓰는 법을 제대로 익히고 연습하는 것이 필요합니다.

예시로 든 과학 탐구 보고서 형식(235쪽)을 참조해 주세요. 탐구 보고서는 크게 '탐구 주제', '탐구 동기', '가설', '탐구 준비물', '탐구 내용 및 과정', '탐구 결과', '탐구 후 느낀 점', '더 궁금한 점', '참고 자료'로 구성되어 있습니다.

보고서는 통일성 있게 하나의 주제를 두고 쓰는 것이 원칙이지요. 맨 윗 줄에 탐구 주제를 적어 주세요. 탐구 주제를 쓸 때는 자세히 씁니다. '공기의 무게 비교'보다 '온도에 따른 공기의 무게 비교'가 적합해요. 탐구하고자 하는 조건을 포함하여 주제를 구체적이고 간결하게 제시하는 겁니다.

다음으로 탐구 동기를 쓴 후 가설을 설정합니다. 어떤 결과가 나올지 예측해 보는 것이 가설입니다. 그리고 주제에 따라 탐구 활동을 설계하고 빠짐없이 준비해야겠지요. 필요에 따라 실험, 관찰, 참고 자료 찾기, 인터뷰 등을 통해 탐구를 진행합니다. 세세한 내용을 시간 순서대로 기록하며 탐구 내용을 적습니다. 군더더기 없는 문장으로 객관적인 사실에 근거하여 기록합니다. 그림과 도표 등을 활용하면 더욱 좋겠지요.

| 과학 탐구 보고서 형식 |

과학 탐구 보고서	
탐구 주제	
탐구 동기	
가설	
탐구 준비물	
탐구 내용 및 과정	
탐구 결과	
탐구 후 느낀 점	
더 궁금한 점	
참고 자료	

탐구 결과에는 실험 내용을 바탕으로 끌어낸 과학적 현상과 원리를 간결하게 적습니다. 이후 더 궁금한 점을 적으며 다음 탐구로 이

어질 가능성을 열어 두는 것이 좋습니다. 탐구에 활용했던 참고 문헌과 영상의 출처도 꼼꼼히 적는 습관을 들입니다.

탐구 보고서의 목적은 탐구한 내용을 정리하고 명확하게 전달하는 데 있습니다. 간결하고 정확하게 내용을 담아내야 합니다. 탐구 보고서는 아무리 복잡하고 어려운 탐구 내용이어도 이해하기 쉽게 쓰여야 합니다. 탐구의 목적과 과정, 그 결과가 논리 정연하게 잘 드러나도록 쓰는 것이 무엇보다 중요합니다.

아이가 학교에서 탐구 보고서를 쓸 텐데요, 논리적인 글쓰기에 맞추어 잘 쓰고 있는지 한번 점검해 보세요. 가정에서는 아이와 콩나물이나 강낭콩을 키우며 함께 탐구 보고서를 써 보는 건 어떨까요?

• 초등부터 고등까지 과학 공부 로드맵 •

초등 과학 공부 로드맵

앞서 다루었던 초등 과학 공부 로드맵을 표로 정리하였습니다. 읽기, 어휘, 생각하기, 쓰기 영역의 큰 흐름을 보며 내 아이의 인지 발달에 맞게 활용하시길 바랍니다.

<table>
<tr><th colspan="2">학년 / 공부 전략</th><th>3~4학년</th><th>5~6학년</th></tr>
<tr><td rowspan="2">읽기</td><td>교과서 읽기</td><td colspan="2">학습 목표를 달성하도록 여러 번 꼼꼼히 읽기
디지털 교과서, 실험 관찰 교과서 활용하기</td></tr>
<tr><td>연계 도서 읽기</td><td colspan="2">학습 만화·과학 잡지 읽기, 과학 연계 도서 읽기</td></tr>
<tr><td>어휘</td><td>교과서 어휘 잡기</td><td colspan="2">교과서 핵심 용어 익히기(226~227쪽 참조)</td></tr>
<tr><td rowspan="2">생각하기</td><td>일상이 곧 과학</td><td colspan="2">일상에서 과학적 현상 관찰하기
일상에서 '왜 그럴까?', '무엇일까?', '어떻게 된 걸까?' 질문하며 과학적 사고력 높이기</td></tr>
<tr><td>경험으로 과학적 사고 넓히기</td><td colspan="2">과학관, 체험관 등 이용하기
뉴스를 통해 새로운 과학 소식 접하기</td></tr>
<tr><td rowspan="3">쓰기</td><td>배움 공책 쓰기</td><td>코넬식 노트 방법으로 배운 내용 정리하기</td><td>암기하여 배움 공책 써보기
나만의 암기법 탐색하기</td></tr>
<tr><td>평가 대비 쓰기</td><td colspan="2">평가에 진지하게 임하기
문제에서 요구하는 키워드 찾아보며 평가 대비하기</td></tr>
<tr><td>탐구 보고서 쓰기</td><td colspan="2">탐구 내용을 담아 간결하고 정확하게 탐구 보고서 쓰기</td></tr>
</table>

중학교 과학 공부 로드맵

물리, 화학, 생명과학, 지구과학 영역으로 이루어진 중학교 과학은 초등과 배우는 영역이 같습니다. 다만 초등에서는 실험 위주의 활동 비중이 컸다면, 중학교에서는 추상적인 개념이 다수 등장하며 원리를 이해하는 학습 내용이 주를 이룹니다. 일부 아이들이 초등학교 때는 과학을 좋아했으나 중학교에 가서 과학에 대한 흥미가 떨어지기도 하는 이유입니다.

그렇다고 해서 공부법이 달라지는 건 아니에요. 교과서에 있는 개념과 원리 이해가 우선입니다. 기본이 되는 학습 내용과 개념은 이해를 바탕으로 암기해야 합니다. 지필고사가 없는 중학교 1학년부터 과학 용어를 정확하게 알고 넘어가야 합니다.

중 1에는 물리, 화학, 지구과학, 생명과학의 기초를 배웁니다. 기본적인 용어와 원리가 교과서에 실려 있습니다. 교과서를 정독하며 모르는 용어는 낱낱이 학습해야 합니다. 그래야만 이후 과학 공부도 수월해집니다. 인터넷 강의를 이용하여 예습하며 용어를 친숙하게 만드는 것도 효과적인 공부법입니다.

중 2에는 물리, 화학의 학습 내용이 깊어집니다. 물리는 고등학교에 가서까지도 학생들이 모든 과목 중 가장 어려워하는 과목이기도 해요. 그래서인지 중 2 시기부터 물리를 기피하는 현상이 나타납니다. 어렵더라도 포기하지 않고 복습하는 태도가 필요합니다. 무작정 외우기보다 원리를 먼저 이해해야 합니다. 응용력을 키우기 위해 문제 풀이도 겸해야 합니다.

중 3에는 고등학교에서 배우는 모든 과정을 미리 배운다고 생각하세요. 중학교 3년 과정 동안 쏟아져 나온 과학 개념과 이론을 정확히 알고 정리해야 합니다. 교과서의 내용을 여러 번 반복하여 복습합니다. 빈 종이에 학습 내용을 보지 않고 적을 수 있을 정도로 공부해야 합니다. 기출 문제를 풀며 지필 고사에 대비합니다.

'나는 문과 성향이에요.'라며 과학을 포기하기는 이릅니다. 잘 모를수록 교과서를 중심으로, 수업 중 선생님이 주신 유인물과 수업 내용을 참고하여 반복 학습하며 기반을 다져야 해요. 시간적으로 여유가 있는 중학교 3학년 때 물리와 화학을 미리 공부해 두면 좋습니다. 이공 계열 진로를 희망한다면 선행 공부가 더욱 필요합니다.

고등학교 과학 공부 로드맵

고등학교 과학은 중학교 학습 내용 90%에 나머지는 심화 학습으로 이루어져 있습니다. 중학교 때 과학 공부를 소홀히 했다면 따라잡기 힘들어요. 반면 중학교 때 과학 공부가 재미있었다면 고 1은 안정적으로 공부할 수 있습니다.

고 1에는 통합과학을 배웁니다. 2학년 때 선택해서 배우는 물리학1, 화학1, 지구과학1, 생명과학1의 기본이 되는 과목입니다. 통합과학은 모두가 배우는 필수 과목입니다. 수능 과목에 직접 포함되지는 않지만 수능 문제를 풀기 위한 바탕이 되는 학습 내용이 있고, 무엇보다 내신을 위해서는 만만히 보면 안 됩니다. 중학교 때 학습 구멍이 생겼다면 반드시 메우고 고 1 과학 공부를 하는 것이 현명합니다. 교과서 내용을 충분히 숙지하고 문제 풀이로 학습 상태를 점검합니다.

고 2부터는 본격적으로 수능과 이어지는 과목을 배웁니다. 아이들은 수능 과목인 물리, 화학, 지구과학, 생명과학 중 진로에 따라 과목을 선택하게 됩니다. 1학년 2학기에 과목 선택이 이루어지기에 그 전에 진로를 어느 정도 정하는 편이 유리합니다. 물리 과목 같은 경우는 워낙 그 분야에 특별하게 뛰어난 아이들이 분포되어 있습니다. 현실적으로 고 1에 물리1 공부를 미리 해 두는 것이 유리합니다.

물리는 다른 과목과 달리 그래프를 읽거나 공식을 암기하고 응용할 줄도 알아야 해요. '물리는 수학이다.'라는 말이 있을 정도지요. 원리와 공식을 정확하게 이해하고 고난도 문제도 풀어보며 심화 학습을 해야 합니다. 화학, 지구과학, 생명과학은 암기할 내용이 많습니다. 지독하게 암기하고 문제 풀이도 병행해야 합니다.

4장

초등 공부를 넘어 평생 공부의 목표를 정하라

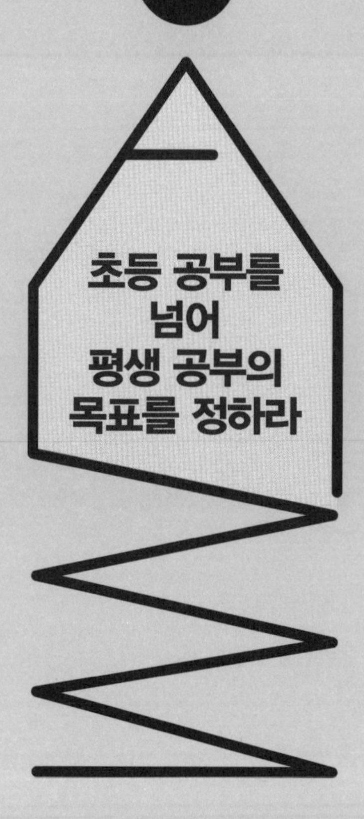

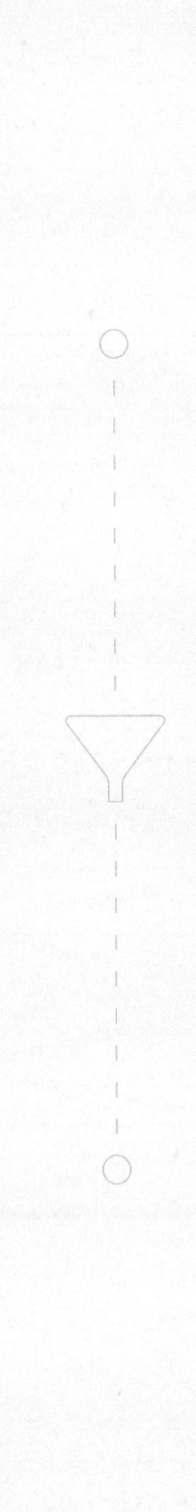

스스로 공부에 몰입하는 힘

입시를 위한 공부든, 자기 계발을 위한 활동이든 자발적 동기만큼 강력한 도구는 없습니다. 누가 떠밀지 않아도 히말라야 산을 오르고, 누가 잔소리하지 않아도 스마트폰을 끄고 공부합니다. 강요가 아닌 스스로 뭔가를 성취하고자 하는 의욕은 열정을 쏟고 몰입의 상태에 이르게 합니다. 힘든 공부도 참고 이겨내며 결국엔 자신의 유능감을 확인하게 합니다.

자아 존중감 키우기

공부하는 목적은 행복에 있습니다. 좋은 대학, 좋은 직장, 남부럽지 않은 성공 등 다양한 이유가 있겠지만, 결국 공부는 자기 삶을 보다 윤택하게 살기 위해 하는 것이지요. 아이의 행복을 위해 공부를 강조하고 계실 겁니다. 부모의 삶이 아닌 아이의 인생을 위해서 말이지요.

공부는 행복을 위한 수단일 뿐입니다. 공부 자체가 목적이 아니에요. 공부를 왜 해야 하는지도 모르고 문제집만 풀고 있다면 끝까지 갈 힘을 잃게 될 겁니다. 내적 동기만이 공부를 지속하게 합니다. 공부의 가치를 알고 노력하는 강력한 힘이 됩니다.

인간은 누구나 성장 욕구가 있습니다. 지식을 쌓고 자기 계발을 위해 힘쓰고자 하는 욕구는 당연합니다. 여기에도 전제 조건이 있습니다. 매슬로[Maslow]의 욕구 이론을 보면 자아실현 욕구는 기본적인 의식주가 해결되고 자아 존중감이 형성된 후에 일어납니다. 당장 배가 고픈 아이들은 공부에 힘쓸 여력이 없습니다. 생리적 욕구나 안전을 보장 받아도 스스로 자기 존재를 인정하지 못하는 아이들은 공부에 대한 의욕이 떨어집니다.

자아 존중감이 있어야 다음 단계로 내적 성장이 일어납니다. 먼저 아이의 자아 존중감 형성에 정성을 기울이세요. 공부를 위해서든 아이의 행복을 위해서든 자아 존중감이 밑바탕에 깔려 있어야 합니다.

자아 존중감은 자신의 존재를 가치 있게 생각하고 존중하는 마음입니다. 아이는 자신을 사랑해야 합니다. 스스로 쓸모 있는 사람이라 생각하고 소중히 여겨야 합니다. '나는 꽤 괜찮은 사람이야.', '나는 가치 있는 사람이야.', '나는 멋진 사람이야.', '나는 한다면 하는 사람이야.', '나는 장점이 많은 사람이야.'라는 인식이 자리 잡아야 해요. 그래야만 공부의 이유를 찾고 삶의 동기를 구할 수 있습니다.

초등 시절 자아 존중감은 학업 성적과 또래 관계 속에서 영향을 받습니다. 또래 간 인기가 높은 아이들은 자아 존중감이 높습니다. 공부 면에서 우수한 학업 성적은 아이의 자존감을 높여주며 긍정적인 자아를 형성하게 돕습니다. 학업 능력이 좋은 아이들은 성취감을 느끼며 꾸준히 공부할 수 있는 동력을 갖게 됩니다. 중·고등학교보다 상대적으로 공부 난도가 낮은 초등이기에 더욱 학업 성과가 아이의 자아 존중감으로 이어집니다.

이외에도 부모의 태도는 아이의 자아 존중감 형성에 결정적인 역할을 합니다. 적절한 관심과 애정은 필수입니다. 이때 아이의 삶에 너무 깊숙이 들어가지 말고 거리를 유지해야 합니다. 아이가 스스로 할 수 있는 과제에 자율성을 부여하세요. 아이의 실패를 관대하게 바라보는 수용적인 태도가 필요합니다. 부모부터 '내 아이는 꽤 괜찮은 아이야.', '내 아이는 장점이 많은 아이야.'라며 인정하고 지지해 주어야 합니다. 부모 스스로 자신을 사랑하고 존중하는 자세는 아이의 자아 존중감으로 투영됩니다.

자아 존중감이 높은 아이는 자신의 판단을 믿고 생각하는 대로 행동할 수 있습니다. 주변과 비교하지 않고 내가 원하는 것, 내가 하고 싶은 것, 나에게 가치 있는 것을 탐색합니다. 스스로 할 수 있다는 믿음이 충만하지요. 자신의 장단점을 이해하고 능력을 최대치로 발휘하기 위해 노력합니다. 자신의 잠재력을 믿고 미래를 계획하며 현재를 열정적으로 살아갑니다. 마음에서 우러나오는 공부 이유도 찾게 되지요.

공부를 열심히 한다고 모두가 성공하는 것은 아닙니다. 하지만 자아 존중감이 높은 아이는 공부의 결과에 매몰되지 않고 자신의 선택과 노력에서 가치를 찾습니다. 어떤 공부도 다시 시작할 수 있는 용기를 지니게 되고 스스로 목표를 재설정하는 능력을 지니게 됩니다. 공부하겠다는 마음을 먹게 하세요. 아이의 자아 존중감을 키워 주세요.

저절로 일어나는 공부 몰입

고등학교 전교 1등은 어떻게 공부할까요? 무섭게 공부합니다. 수업 시간엔 선생님 말씀이 법이고 교과서는 바이블입니다. 학교를 오가는 버스, 쉬는 시간, 점심시간도 아까워서 요약 노트를 손에 쥐고 있어요. 최상의 컨디션을 유지하며 깨어 있는 시간만큼은 허투루 보내지 않습니다. 타고난 머리에 의지하지 않고 공부에 집중 또 집중합니다. 어떻게 하면 하나라도 더 기억할까 끊임없이 공부합니다.

공부가 마냥 신나서만은 아닙니다. 공부를 꼭 해야 하니까, 절실하니까, 지금이 아니면 안 되니까 붙잡고 있는 거예요. 놀고 싶고 눕고 싶은 걸 참으며 공부합니다. 원하는 공부 성과를 얻기 위해, 앞으로 그려질 밝은 미래를 위해 공부에 집중합니다. 아무리 머리 좋은 아이도 공부에 심취해 몰입하는 이 아이들을 이길 수 없습니다.

주변 상황에 흔들리지 않고 공부에 몰입하는 힘을 만든 건 아이 자신입니다. 아이는 스스로 공부의 필요성을 깨달았습니다. 내 인생에 공부가 왜 필요한지, 어떻게 해야 하는지 알고 있어요. 명확한 목표가 있습니다. 자신이 앞으로 어떻게 성장할지 비전이 있습니다. 그렇기에 공부에 대한 의지가 충만합니다. 집중력을 최대로 끌어 올리고 몰입의 상태가 됩니다.

비전은 허상으로만 존재하지 않습니다. 가치 있는 사람이 되기 위해 어떤 공부를 해야 할지 구체적인 목표를 세웁니다. 원하는 학과를 가기 위해서 학생부 기록에 필요한 활동이 무엇이고, 지금 읽어야 할 책 목록이 무엇이고, 내신 준비를 어떻게 해야 하는지 촘촘히 계획을 세웁니다. 의지로만 끝나지 않고 목표에 집중하며 공부합니다.

이 아이들은 공부에 대한 호감도도 남다릅니다. '공부는 어려워. 못하겠어.'라고 생각하지 않습니다. '괜찮아. 해 볼 만하네.'라는 믿음이 자리 잡고 있습니다. 공부하며 원하는 성과를 내거나, 머리를 쥐어짜며 문제를 해결해 낼 때 공부의 재미를 느낍니다. '내가 이것도 풀다니!'라며 공부를 즐기는 상태가 됩니다. 기본적으로 공부에 대해 긍정적인 관점을 보입니다.

목표를 향한 작은 성취감이 켜켜이 쌓여 공부 자신감으로 연결됩니다. 무리하게 과제를 설정하지 않고 지금보다 조금 높은 난도의 과제를 취합니다. 성취감이 선순환하며 더 난도 높은 공부에도 집중력이 발휘되지요. 좌절하고 포기하고 싶은 고비를 넘으며 희열을 알게 됩니다. 처음엔 어렵고 지쳤던 공부도 고도의 집중 상태를 유지하게 되지요.

요약하자면, 성장 비전, 명확한 목표, 공부 호감도, 조금 높은 난도의 과제가 공부의 몰입을 이끌어 냅니다. 주변이 어떻게 돌아가든 내 과업에 집중하며 초인적인 힘을 드러내기도 하지요. 역량을 최대한으로 발휘하고 괄목한 성과를 냅니다. 이 아이들은 어떤 분야에서든 입지를 굳건하게 다지게 될 것입니다.

그렇다면 부모는 어떻게 아이의 몰입을 도울 수 있을까요? 초등 아이들도 몰입의 경험을 할 수 있어요. 꼭 공부가 아니라도 아이의 관심 분야를 공략하세요. 아이가 자발적으로 흥미를 갖는 분야가 있다면 충분한 시간을 주어 집중하도록 지지해 주세요. 오랜 시간 하나의 과제를 생각할 수 있도록 환경을 설정하세요. 아이가 직접 찾은 콘텐츠 이외에도 부모가 적절하게 수준을 높여 정보와 지식을 제공할 수 있습니다. 결과가 보이지 않아도 탐구하는 과정 자체에 칭찬을 아끼지 말고 호응해 주면 효과는 배가 됩니다. 어린 시절의 몰입 경험은 자신이 좋아하는 것을 찾으며 목표를 갖게 하고 이후 공부에 몰입하는 데 유리하게 작용합니다.

더불어 공부에 대한 지속적인 호감을 보여 주세요. 엄마가 수포자였고, 아빠가 영포자였어도 '배움은 즐겁다.'라는 인식을 아이에게 심어 주셔야 합니다. '엄만 수포자였잖아. 수학은 원래 어려워!'라고 말하기보다 수학을 공부하는 가치와 유용성에 대해 말해 준다면 수학의 호감도가 높아질 겁니다. 학교에서 배우는 교과목의 가치를 알고 배움에 대해 긍정적인 가치관을 형성하도록 도와주세요. 공부에 호감을 느끼고 성취감을 맛본 아이는 이후 학습에 대한 의지가 높아지며 공부에 더욱 집중하게 될 것입니다.

미래를 예측하고 도전하는 능력

세상이 빠르게 변합니다. 먼 나라 이야기 같던 과학 기술이 삶 깊숙이 들어와 있어요. 스마트폰으로 시작해 스마트폰으로 끝나는 하루가 일상이 되었습니다. 인공 지능, 컴퓨터 기술의 발전은 하루가 다르게 진화합니다. 현재 기술을 따라가기조차 힘든데 아이의 미래는 어떻게 변화할지 두려움 반 기대 반의 마음을 갖습니다. 새로운 기술은 아이들에게 과거와는 다른 역량과 자질을 요구합니다. 아이가 요동치는 기술의 파도 위에서도 도전하기를 서슴지 않길 바랍니다.

디지털 문해력 키우기

지금의 초등 아이들은 태어나면서부터 디지털 환경에 놓인 아이들입니다. 세 살 즈음부터 부모의 스마트폰을 능수능란하게 조작하며 유튜브를 봤습니다. 코로나로 인해 대중화된 화상 회의와 온라인 학습에 익숙합니다. 학교 알림장도 종이가 아닌 스마트폰 앱으로 대체되었습니다. 친구들과 소통도 엄지손가락으로 해결해요. 필요한 정보를 찾는 데 책보다 인터넷 검색이 편하지요. 재미, 지식, 교양 등 온갖 정보를 인터넷상에서 자유자재로 활용합니다.

시대에 발맞춰 우리나라 교육도 변화하고 있습니다. '2022 개정 교육 과정'을 보면 핵심 역량에 디지털 문해력이 추가되었습니다. 디지털 문해력은 다양한 디지털 매체에서 제공되는 지식과 정보를 이해하는 능력입니다. 영상, 글 등 다양한 형태의 메시지를 읽고 이해하는 능력만이 아니라 분석하고 평가하는 의사소통 능력도 포함됩니다. 콘텐츠를 주도적으로 생산하고 공유하는 일도 해당합니다. 디지털 문해력은 단순히 기술적 조작 능력이 아니라 공공의 의미를 고려하는 도덕적 이해를 수반합니다.

디지털 매체는 편리합니다. 이제는 인공 지능 챗봇까지 등장했습니다. 텍스트를 치며 힘들여 검색하지 않아도 원하는 정보가 즉각적으로 나옵니다. 창의성이 인간의 고유 영역이라고 한 미래학자들의 말이 무색하게 인공 지능이 시를 짓고 그림을 그려 줍니다. 아이들은 생각할 필요가 없어요. 노력하지 않아도 독후감도 보고서도 써 줍니다. 추상화된 텍스트를 읽고 고도의 인지 능력을 쓰지 않아도 클릭 몇 번으로 문제를 해결합니다.

반면에 디지털 정보를 무분별하게 받아들이는 일도 늘어납니다. 보이는 정보의 진위 여부를 판단하지 않는 것이죠. 판단하려고 해도 검증 절차를 제대로 거치지 못합니다. 남이 올린 정보를 자기 것처럼 활용하기도 합니다. 인터넷에 있는 콘텐츠를 아무 거리낌 없이 복제하기도 합니다. 익명성을 빌미로 악플을 달기도 하고요.

이런 상황이기에 디지털 문해력의 중요성은 더 높아집니다. 디지털 문해력을 필수적으로 갖추어야 하죠. 콘텐츠의 내용을 면밀하게 살펴야 합니다.

디지털 정보를 활용하기 전에 미디어의 성격, 매체의 상업적 본질에 대해 이해해야 합니다. 보이는 모든 정보가 진실이 아님을 알아야 합니다. 허위 정보가 사용된 사례 등을 통해 위험성을 알고 있어야 합니다. 여기에 더해 SNS나 인터넷 공간에서 활동하는 모든 기록은 공개적이라는 것을 인식해야 해요. 디지털 세상도 현실과 같이 엄연히 규칙과 도덕이 존재한다는 걸 기억해야 합니다.

디지털 기기를 자주 사용한다고 디지털 문해력이 키워지는 것이 아닙니다. 코딩을 배우고 유튜브 영상을 찍어 올리는 것도 좋습니다만 디지털 문해력은 기기를 잘 다루는 것에서 한 걸음 더 나아가야 합니다. 개별 디지털 콘텐츠 각각의 의미를 정확하게 해석해야 합니다. 올바른 기준 안에서 디지털 정보를 이해하고 활용할 수 있어야 합니다.

아이러니하게도 디지털 문해력은 아날로그적으로 키워집니다. 독서 능력이 우수한 아이들이 디지털 문해력도 높습니다. 독서력이 높은 아이들은 어휘력, 문해력, 사고력이 높기에 유튜브 썸네일만 봐도 무슨 내용인지 유추할 수 있습니다. 텍스트 문맥을 통해 문해력을 키운 아이들은 영상을 보면서도 무슨 정보인지 요점을 찾을 수 있습니다.

세상이 디지털로 변화해도 책은 인간의 사고력을 키워주는 최고의 매체입니다. 독서로 키워진 비판적 사고력은 가짜 정보를 판별하는 눈을 갖추게 합니다. 디지털 네이티브인 아이들에게 독서가 더욱더 요구되는 이유입니다.

자기 철학을 세우며 도전하기

기술의 발전은 지식의 확장을 가져왔습니다. 과거 대학에서 배운 전공 지식을 지금은 유튜브에서 누구나 손쉽게 취할 수 있게 되었어요. 물리적 공간을 초월하여 어떤 전문 지식도 누구나 익힐 수 있게 되었습니다. 원한다면 클릭 한 번으로 심리학, 생명 과학, 경제와 같은 분야의 깊이 있는 지식도 바로 접할 수 있어요. 미국까지 가지 않아도 아이비리그 대학의 전공 수업을 온라인으로 들을 수 있는 세상입니다.

지식은 상향 평준화되고 있습니다. 디지털 기술이 발전할수록 이러한 현상은 가속화될 거예요. 예측 불가능한 미래에 지식을 안다는 것은 더 이상 의미가 없습니다. 급속도로 변하는 세계에 민감하게 반응하고 진취적으로 실행하는 소수만이 디지털 시대의 주체로 살아갈 수 있습니다. 그렇지 못한 99.9%의 사람들은 불안정한 노동계급인 프레카리아트Precariat로 남는다고 미래학자들은 얘기합니다.

암울한 미래가 그려지시지요? 미래 사회의 사람들 대부분이 열정 없이 누군가 이룬 성과에 끌려가며 기본적인 생존 문제를 고민해야 한다니 말이지요. 내 아이가 디지털 시대를 이끌어가는 리더가 아닌 프레카리아트가 되어 수동적인 삶을 살 수도 있다니 디지털 기술 발전의 어두운 면모가 갑자기 강조되어 보입니다.

물론 일론 머스크나 빌 게이츠 같은 인물이 아니더라도 내 아이가 변화에 민감하고 시대에 발 빠르게 적응하는 능력을 갖춘다면 미래를 주도하는 인재가 될 수 있습니다. 주는 지식만 수동적으로 받는 것이 아닌 능동적으로 공부하는 자세는 지금도 그렇지만 미래에도 변하지 않는 경쟁력이 됩니다.

미래 사회를 대비하기 위해서는 변하지 않는 교육의 본질에 집중하세요. 고대 그리스 시대부터 4차 산업혁명에 이르기까지 불변하는 교육의 목적은 주체적인 삶에 있습니다. 사람은 누구나 자기 삶의 가치와 의미를 찾고자 합니다. 교육을 통해 나를 이해하고 사회를 알아가지요. '무엇이 나를 가치 있게 만드는가?'라는 질문을 끊임없이 하며 교육을 통해 자기 삶의 철학을 세우게 됩니다.

주체적인 삶을 위해서는 무엇보다 생각하는 힘이 있어야 해요. 타인에게 끌려다니지 말아야 합니다. 역사를 알고 현재를 배우며 미래를 계획해야 합니다. 당연한 일에 의문을 품고 호기심을 가져야 해요. 개인과 사회의 관계를 이해하고 해석하는 능력도 있어야 하지요. 지속하여 '나'와 '사회'를 성찰하고 탐구하는 자세가 필요합니다. 정답이 없더라도 해답을 찾기 위해 계속해서 생각해야 합니다.

사회는 늘 불안했습니다. 아무리 효과 좋은 신약도 부작용이 있는 법이죠. 기술의 긍정적인 면 뒤에는 부정적인 면이 있기 마련입니다. 사회가 불안하고 삶이 불확실하다는 사실은 과거에도 미래에도 변하지 않는 진리입니다. 미래의 불확실성 때문에 현재에만 급급하면 아이의 사고는 현재에 머물고 맙니다. 아는 만큼 보이는 법이지요. 다채로운 경험과 풍부한 지식은 사유의 물꼬를 터주는 역할을 합니다. 독서를 통한 지식 축적뿐만 아니라 디지털 콘텐츠를 적극적으로 활용할 필요도 있습니다.

진취적인 사고방식으로 급변하는 기술의 흐름을 아이와 함께 읽으세요. 기술이 사용되는 참된 목적이 무엇인지 생각할 수 있도록 아이에게 질문하세요. 문제를 발견하고 해결 방안도 생각합니다. 아이 스스로 질문하고 주체적으로 판단하도록 유도합니다. 두려운 대상도 적극적으로 공부하고 탐구한다면 아이는 미래를 긍정적으로 그릴 수 있습니다.

지금의 학교 교육을 낡은 것이라 치부할 수도 있을 거예요. 반은 맞고 반은 틀립니다. 지금의 입시 체제는 미래 교육에 적합하지 않을 수 있습니다. 정답을 요구하는 객관식 선다형 평가, 등급으로 매겨지는 줄 세우기 식의 평가는 지식을 측정하는 데 초점이 맞추어져 있지요. 하지만 미래 사회가 변하는 만큼 교육 정책도 점차 바뀌게 될 것입니다.

학교 공부는 미래 교육과 밀접하게 연결된 한 부분입니다. 학교에서 수학자를 길러내기 위해 수학을 배우는 것이 아닙니다. 프로그래머를 배양하고자 프로그래밍 수업을 강조하는 것이 아니지요. 학교 교과목은 지식 외에도 아이가 세계 시민으로서 살아가야 할 가치관을 형성하고 사고력, 창의성, 공감 능력, 문제 해결력, 협업 능력 등을 길러주는 데 목적이 있습니다. 전인적인 인간 성장을 돕는 것이죠. 교육의 본질을 알고 학교 공부에 진심을 담아 주도적으로 참여한다면 미래 교육을 위한 가장 현실적인 대비가 될 것입니다.

유네스코에서는 미래 교육을 위해 아동기부터 철학적 사유를 길러주는 교육이 필요하다고 주장합니다. 교육의 목적은 변하지 않는다는 점을 기억하세요. 대학 입시도 중요하지만, 공부 안에서 길러지는 주체적인 삶의 태도에 초점을 두세요. 지식을 암기하기보다 지식의 의미에 의문을 품는 아이로 키워야 합니다.

자기 삶의 주체가 되어 스스로 삶의 의미를 찾도록 자주 대화하세요. 다채로운 지식과 사유를 경험한 아이는 기술의 발전이 정치, 사회, 역사, 문화, 경제와 맞물려 일어난다는 것을 깨달을 겁니다. 유연한 사고와 민감한 시선으로 사회를 바라보며, 자신만의 주체적인 철학을 세우고 변화의 물살에 용기 있게 뛰어들 겁니다.

건강한 몸과 마음, 그리고 자기 관리 능력

'4당 5락'이라는 말은 틀린 말입니다. 4시간 자면 합격하고 5시간 자면 탈락한다는 건데요, 잠을 충분히 자지 못하면 공부 효율성이 떨어집니다. 고등학생이 될 때까지도 아이들은 크고 있어요. 공부도 체력이 받쳐 주어야 가능합니다. 튼튼한 체력을 바탕으로 자신을 바르게 관리하는 능력은 필수입니다. 자기 관리 능력은 규칙과 자유 속에서 자기 능력과 자질을 최대로 성장시킵니다.

올바른 생활 습관 갖추기

아이들이 대부분 시간을 보내는 학교는 일정한 시간표가 있습니다. 9시에 시작하는 1교시, 4교시 후 점심시간, 5~6교시 후 하교 시간까지 아이들은 규칙적으로 생활합니다. 집에서는 어떤가요? 일정한 시간에 잠을 청하고 같은 시간에 일어나는지요?

초롱초롱한 눈빛으로 학교생활을 하기 위해서는 충분한 휴식이 뒷받침되어야 합니다. 수면 시간 확보는 필수입니다. "아이가 잠을 안 자요.", "해야 할 숙제가 많아서."라는 이유로 아이들 수면 시간이 줄었습니다. 자정이 넘어서야 자는 아이들, 부족한 잠 때문에 오전 내내 몽롱한 채로 학교 수업을 듣습니다.

규칙적인 생활은 건강을 위해서입니다. 활동기와 휴식기의 균형을 잘 맞춰야 신체 활동과 사고 작용이 원활히 작용하지요. 성장기에 있는 아이들은 특히나 성장을 위해서라도 늦게 자는 습관을 버려야 해요. 평균적으로 성장기 아이들은 9~10시간 정도 수면 시간을 확보해야 합니다. 밤 10시부터 새벽 2시까지 성장호르몬이 최고조로 나온다니 늦어도 10시에는 잠자리에 들어야 합니다.

적당한 운동도 필요합니다. 의자에 앉아 공부만 한다고 잘하지 않아요. 쌓여있는 스트레스를 풀 때 운동만큼 좋은 활동이 없습니다. 놀이터에서 놀거나 산책, 줄넘기, 축구, 배드민턴 등 아이가 즐길 수 있는 운동 시간을 만들어 주세요. 규칙적인 신체 활동은 우울감을 없애고 정신 건강에 도움이 됩니다. 고등학교에서 부러움을 사는 우등생들은 공부를 열심히 하면서도 틈틈이 운동도 하여 활력을 챙깁니다.

건강을 위해 음식도 신경 써 주세요. 학원 시간에 쫓겨 편의점에서

삼각김밥으로 끼니를 때우는 아이들이 있습니다. 컵라면에 콜라를 수시로 먹으며 건강을 챙길 수는 없지요. 아이 스스로 음식을 관리하기는 어려워요. 아이의 건강을 위해서도 몸에 좋은 음식은 필수입니다. 대단한 요리가 아니더라도 영양소를 골고루 챙기며 꼬박꼬박 밥때를 챙겨 주세요. 아침은 꼭 먹도록 합니다. 간단하게라도 말이지요. 아이와 마주 보고 아침을 함께 먹으며 하루를 어떻게 보낼지 대화를 나눈다면 그보다 더 좋을 수 없습니다.

사람에게는 바이오리듬이 있습니다. 의학적으로 규칙적인 생활은 바이오리듬을 안정적으로 만들고 이를 통해 신체적, 정신적 활동의 효율을 높여준다고 합니다. 식사 시간이나 잠드는 시간이 불규칙하면 바이오리듬이 깨지며 컨디션이 나빠집니다. 예민해지고 공부에 집중하기도 힘들지요. 초등 시기의 규칙적인 생활 습관은 건강한 몸과 마음은 물론 학습력까지 보장합니다.

자기 관리 능력 키우기

매일 새벽 5시에 일어나 책 읽는 모습을 SNS에 인증하는 어른들을 종종 봅니다. '배 나온 아저씨'라는 표현이 무색하게 복근을 자랑하는 40대 아빠들이 대세이지요. 직장을 다니고 육아도 힘든데 하루 24시간을 부지런히 사는 어른들이 많아요. 자기 관리에 능한 이들입니다.

자기 관리 능력이 우수한 사람들은 사회적으로 성공할 가능성이 큽니다. 하루하루를 보람차게 살았기에 자기 삶에 흡족합니다. 중·고등학생들도 그래요. 공부가 최대 과업인 학생들의 학업 성패를 가르는 능력 중 하나가 자기 관리 능력입니다. 지적 능력도, 경제적 능력도 아닙니다. 바로 자기의 에너지를 어떻게 잘 쓸 수 있는지에 성패가 달라집니다.

누구에게나 공평하게 24시간이 주어집니다. 누구나 하고 싶은 일이 있지만, 모두 할 수는 없습니다. 때로는 하기 싫은 것도 해야 하고 참고 인내해야 합니다. 자기주장만 내세울 수 없고 다른 사람과 어울려야 합니다. 그러기 위해서는 자신의 에너지를 올바른 방향으로 발산하고 성장으로 이어지도록 관리해야 합니다.

초등 시절에는 자기 관리 능력이 완성되지 않습니다. 습관을 형성하며 하나둘 배워가는 중입니다. 학교에서 규칙을 지키고, 사회 법규를 지키는 것은 자기 관리 능력의 첫걸음이라고 할 수 있지요.

밖에서만이 아니라 특히 가정에서 자기의 삶을 주체적으로 조절하고 성장의 발판이 될 수 있는 자기 관리 능력을 배우고 갖추어 나갑니다. 여기서는 초등 시기에 자기 관리 능력을 키우는 방법을 알아보겠습니다.

첫째, 언어 관리입니다. 말은 그 사람의 성품이지요. 하고 싶은 말을 거침없이 한다면 아이는 외톨이가 되고 맙니다. 다른 사람과의 의사소통 능력이 중요해요. 가정에서부터 아이가 자연스럽게 자기 의사를 표현해야 합니다. 주눅 들지 않고 자연스럽게 자기의 감정과 생각을 표현할 수 있어야 해요.

부모가 먼저 다른 사람들의 감정을 이해하고 공감하는 표정과 언어를 자주 표출한다면 아이도 공감의 언어를 배웁니다. 아이의 말을 모두 옳다고 포용하지는 마세요. 남의 말을 끊는다거나 상황에 맞지 않는 언어 표현을 쓴다면 바르게 고쳐주어야 합니다. 말을 많이 하기보다 먼저 다른 사람의 말에 귀 기울여야 한다는 태도를 항상 강조해 주세요.

둘째, 감정 관리입니다. 사람은 늘 기쁘지만은 않지요. 화나 분노도 자연스러운 감정입니다. 그렇다고 작은 일에 예민하게 반응하며 주변을 살피지 않고 욱하는 행동은 눈살을 찌푸리게 하지요. 어릴 때일수록 본능이 앞서 격한 감정을 표출합니다. 자라면서 차츰 감정 조절 능력도 생깁니다.

먼저 아이의 희로애락 감정을 모두 인정해 주세요. 아이의 감정을 통제하려 하지 말고 부정적인 감정은 스스로 흘려보내도록 도와주는 것이 현명합니다. 어떤 감정도 잘못된 감정은 없다고 알아주되 폭력적이거나 전투적인 행동에 대해서는 단호한 훈육이 필요합니다.

셋째, 학습 관리입니다. 학습 관리는 공부 습관 들이기입니다. 자기 주도 학습으로 방향을 설정하세요. 자기 주도 학습은 스스로 공부의 목표를 설정하고, 계획하고, 실행하고, 피드백하는 것을 말합니다. 처음부터 아이 스스로 자기 주도 학습을 관리하는 것은 불가능합니다. 저학년 때는 부모가 주도하여 방향을 설정하고 고학년으로 갈수록 아이가 주도적으로 관리하게끔 합니다. 저학년부터 꾸준히 해 온 아이가 고학년이 되면 스스로 학습해야 할 과목과 분량을 정할 수 있습니다. 혼자 힘으로 공부를 시작하고 끝낼 수 있어요.

넷째, 시간 관리입니다. 시간 관리는 학습 관리와도 밀접합니다. 아이들의 시간은 대부분 놀이와 공부 시간으로 나뉩니다. 놀이, 공부, 또는 학원의 스케줄을 알고 일의 우선순위를 정하는 것이 시간 관리의 주요 내용입니다.

하고 싶은 일과 해야 할 일이 있을 때 학교 숙제와 같이 꼭 해야 할 일을 먼저 하도록 가르쳐 주세요. 해야 할 일을 고정된 시간에 하기로 정해 둔다면 스트레스를 받지 않고 임무를 완수할 수 있습니다. 정해진 시간에 식사하고 자는 등 규칙적인 생활 습관을 들이는 것은 성공적인 시간 관리의 바탕이 됩니다.

다섯째, 환경 관리입니다. 공부를 잘하는 아이들은 학교 책상과 사물함이 말끔합니다. 공부에 필요한 교과서, 참고서를 바로 찾을 수 있게 정돈되어 있어요. 집 책상도 마찬가지입니다.

공부할 때는 공부를 방해하는 요소를 치우는 것이 좋습니다. 스마트폰, 게임기, 인형 등이 책상 위에 올려 있으면 자꾸 시선이 그쪽으로 가게 됩니다. 책가방 속도 질서있게 정리하도록 이야기해 주세요. 깔끔한 공부 환경은 아이의 정서를 긍정적으로 만듭니다. 아이가 스스로 방 정리를 하도록 독려해 주세요.

여섯째, 디지털 기기 관리입니다. 고등학생에게 공부의 최대 적은 스마트폰입니다. 스마트폰을 꺼야 공부에 집중할 수 있다는 걸 알면서도 손에서 놓지를 못합니다. 요즘은 초등학생들도 대부분 스마트폰을 가지고 있지요. 어른도 손에 쥐면 시간 가는 줄 모르고 보는 스마트폰입니다. 되도록 늦게 들이기를 추천합니다. 스마트폰을 갖더라도 단호하게 규제하세요. 구글 패밀리 링크Google Family Link 앱을 통해 부모가 아이의 스마트폰 사용 시간을 조절할 수 있습니다. 이 앱을 활용하면 아이의 스마트폰에 설치된 앱의 사용 시간을 개별적으로 설정할 수 있어 편리해요. 게임, 유튜브, 메신저 앱의 사용 시간을 제한하세요. 그리고 아이가 잠들기 전에는 스마트폰을 부모님에게 맡기는 걸 원칙으로 합니다. 아이가 유혹에 못 이겨 밤새 스마트폰 속에서 허우적대고 있을지도 모르니까요.

아이가 친구들과 비교하여 스마트폰 규제가 지나치게 심하다고 불평할 수도 있겠지만, 설득해 주세요. 스마트폰을 과다하게 사용할 경우 뇌 발달과 시력, 근골격 등 신체 건강에 문제가 생길 수 있고, 집중력이 저하되며, 꼭 해야 할 일을 못 하게 되거나 사람들과 눈을 맞추고 소통하는 데에도 문제가 발생할 수 있다고, 아이들에게 구체적인 이유를 들어 설명해 주세요. 합당한 이유를 이야기하고 합의된 규칙을 세우면 아이는 훨씬 잘 지킵니다.

자기 관리 능력은 아이 혼자 키울 수 없습니다. 필요에 따라 부모가 해서는 안 되는 행동의 선을 단호하게 긋고 훈육할 수 있어야 해요. 아이의 잘못된 행동에 감정적으로 대응하기보다 이성적으로 설명하며 인격적으로 대해야 합니다. 아이가 스스로 자신을 조절할 수 있게 기회를 점차 늘려야 합니다. 아이는 시행착오를 거치며 자신을 통제하고 인내하는 법을 배우게 됩니다. 자신을 바르게 관리하면 공부는 물론 자기 인생도 주도적으로 살아갈 것입니다.

실패해도 다시 일어나는 힘

인생이 탄탄대로였으면 좋겠지만 고난과 역경은 어김없이 존재합니다. 아이에게도 마찬가지입니다. 부모가 나서서 고통을 없애줄 수 없지요. 좌절의 순간을 극복하고 다시 일어날 수 있는 힘을 키우는 것이 현명합니다. '실패는 성공의 어머니다.'라는 말처럼 실패를 성장의 거름으로 여기며 당당하게 살길 바랍니다. 바닥을 치면서도 다시 일어서고 더 높은 곳까지 뛰어오를 힘을 실어 줍니다.

회복 탄력성 키우기

고통은 누구에게나 있기 마련입니다. 마음대로 되지 않는 상황이 발생합니다. 열심히 노력했으나 시험에 떨어질 수도 있고 승진에 실패할 수도 있습니다. 그러나 부정적인 상황에 오랜 시간 좌절한다면 삶의 의미를 잃게 될 것입니다. 무기력의 연속이고 우울감이 인생을 갉아 먹지요.

피할 수 없는 역경이라면 실패도 도약의 기회로 삼는 마음 근육이 필요합니다. 아이들에게 회복 탄력성을 길러 주세요. 회복 탄력성은 다양한 실패나 부정적인 상황을 극복하는 힘을 말합니다. 시련에도 좌절하지 않고 스프링처럼 튀어 오르는 마음가짐입니다. 회복 탄력성이 충만한 아이들은 실패를 두려워하지 않습니다. 미래에 대해 긍정하고 현재 상태를 겸허히 수용하지요.

회복 탄력성이 강한 아이로 키우기 위해 부모가 어떻게 해야 할지 하와이 카우아이 섬의 종단 연구 예를 통해 고찰해 보겠습니다.

1955년 하와이의 카우아이 섬에 833명의 아기가 태어났습니다. 당시 카우아이 섬은 제2차 세계대전으로 인해 주민 대부분이 가난한 삶을 살고 교육 환경 또한 열악했습니다. 연구진은 태어난 아기 833명 중 극단적으로 불우한 가정 환경에 놓인 201명을 고위험군으로 분류하여 40년 넘게 추적 관찰했습니다. 고위험군의 부모는 이혼하였거나 경제적 능력이 없거나 알코올 중독자이거나 정신 질환을 앓고 있는 이들이었습니다. 연구진은 고위험군 아이들이 모두 사회 부적응자로 자랄 것이라 예상했지만, 이 예측은 빗나갔습니다.

201명 중 30%에 해당하는 72여 명은 극도로 열악한 가정 환경에서도 부유한 가정에서 자란 사람 못지않게 자존감 높은 성인으로 자랐으며 성공적인 삶을 살고 있는 것으로 나타났습니다. 이들의 공통점은 무엇일까요? 연구진은 암울한 환경을 극복하고 훌륭하게 살 수 있었던 이들은 '주변에 그 아이를 무조건 믿어 주는 어른이 단 한 명이라도 있었다.'라고 밝혔습니다. 아이를 신뢰하고 사랑을 베풀어 주는 어른이 있었기에 회복 탄력성이 강화되어 어려운 상황도 극복할 수 있었던 것입니다. 꼭 부모가 아니어도 어른의 믿음 하나가 이렇게 영향력을 미칩니다.

아이를 사랑하세요. 어떠한 역경이라도 이겨낼 힘은 부모의 사랑에서 나옵니다. 부모로부터 받은 정서적 지지와 유대감은 어른이 되어서도 좌절에 불안해 하거나 넘어지지 않고 실패를 오히려 성장의 기회로 삼아 일어서게 만듭니다.

아이들은 온화한 가정에서 귀여움을 받아야 해요. 공부를 잘해서 예쁜 게 아니라 그냥 예쁜 겁니다. 부모는 아이의 기쁨, 슬픔, 화 등의 감정을 읽어 주고 공감해야 합니다. 아이의 공부뿐 아니라 취미, 일상, 친구 관계 등에 관심을 가져야 해요.

좌절의 순간이 오면 진심으로 격려하며 할 수 있다는 믿음을 보여 줘야 합니다. 소소한 대화가 끊이지 않아야 해요. 기특한 일에 칭찬의 말을 아끼지 말고 고마운 일에 감사의 말을 전하세요. 아이에게 미안한 일이 생기면 사과의 말을 자연스럽게 할 수 있어야 해요. 아이는 가정에서 편안함을 느껴야 합니다.

다만 아무리 예쁜 아이여도 과잉보호는 금물입니다. 건강한 사랑을 주세요. 부모는 사랑을 주되 존경을 받는 대상이어야 합니다. 가정 안에도 사회처럼 질서가 있어야 해요. 부모의 권위가 서야 합니다. 무조건 순종을 바라는 권위가 아닙니다. 옳고 그름의 가치를 명확하게 설명하고 아이가 수긍하고 따라야 합니다.

필요할 땐 안 되는 행동의 선을 단호하게 긋고 훈육할 줄도 알아야 해요. 아이의 잘못된 행동에 감정적으로 대응하기보다 이성적으로 설명하고 인격적으로 대해야 합니다. 예절, 효도, 정직, 책임, 존중, 배려, 소통, 협동의 가치를 몸소 보여 주고 아이의 삶 속에 차곡차곡 심어 주세요.

'하고 싶은 대로 해.'라며 마냥 허용적인 부모가 아이에게 최고일 것 같지만, 사회는 아이를 부모처럼 다 받아주지 않습니다. 이런 아이들은 안하무인이 되어 질서를 무너뜨리고 다른 사람과 어울리기가 힘이 듭니다. 반대로 너무 강압적인 부모 아래서 자란 아이들은 무기력해지거나 부모와 같이 강압적인 행동을 보입니다. 진정한 권위는 따스한 사랑을 동반합니다.

가정 안에서 사랑을 받고 자란 아이들은 일이 잘 풀리지 않을 때 환경 탓이나 남 탓을 하지 않습니다. 변화를 이끌 사람은 자신이라고 생각하지요. 고난에도 '내가 할 수 있는 것은 무엇일까?'를 고민하며 발전적인 방향으로 상황을 만들어 갑니다. 아이에게 든든한 버팀목이 되어 주세요. 아이가 좌절을 극복하는 원천은 '단 한 사람, 나를 믿어 주는 내 편'에서 나온다는 걸 잊지 마세요.

스스로 마음을 다스리기

아이의 공부나 인생은 장애물 달리기와 비슷합니다. 장애물 달리기 트랙에는 넘어야 할 장애물들이 즐비합니다. 선수들이 처음부터 장애물을 잘 넘기는 힘들었을 겁니다. 몇 번을 넘어지고 한 번 성공하며 다음 장애물에 도전했을 겁니다. 넘어야 한다는 부담이 있지만 넘을 수 있다고 자신하며 장애물을 계속해서 넘었을 겁니다. 그들은 장애물을 붙들고 씨름하지 않습니다. 조금 힘을 주어 뛰어오르며 결승점을 향해 달릴 뿐입니다.

시험에 낙방하거나 사업에 실패하는 크나큰 좌절이 아니라도 사람은 스트레스를 안고 삽니다. 인생의 어느 길목에도 작은 장애물들은 계속 놓여 있습니다. 학생인 아이들은 공부와 친구 관계에서 오는 스트레스를 피할 수 없지요. 사소한 스트레스를 건강하게 풀 때 목표한 곳까지 달릴 힘이 생깁니다.

외부로부터 오는 어느 정도의 스트레스는 아이가 스스로 해결할 수 있어야 합니다. 부모가 장애물을 치워줄 수는 없습니다. 뛰어넘어야 할 사람은 아이입니다. 아이는 자기 자신을 잘 헤아려 건강한 컨디션을 유지해야 해요. 자신의 몸과 마음을 보살필 줄 알아야 합니다. 평화로운 마음을 유지하도록 노력해야 해요. 마음먹기에 달려 있어요. 어떤 장애물이 있어도 넘을 수 있다는 긍정적인 사고가 필요합니다.

긍정적인 사고는 장애물에 집중하지 않고 달리는 길에 몰입하게 합니다. 성공의 방해 요소를 가볍게 여기며 자신이 가진 능력보다 높은 성과를 이루게 하지요. 아이의 삶에 활력이 돋고 행복한 삶을 보장합니다. 완벽하지는 않으나 자신의 능력을 믿고 상황을 긍정적으로 바라보아야 합니다. 아이의 낙관적인 삶의 태도는 부모로부터 영향을 받습니다.

아이의 단점보다 장점을 관찰하세요. 보편적 기준에 맞추면 내 아이는 늘 부족한 아이입니다. 단점에 매몰되어 단점을 메우는 데 급급하면 부정적인 관점으로 아이를 평가하게 되지요. 부모가 아이의 단점에 집중하면 아이에게 '나는 단점투성이야. 뭐든 못해.'라는 인식을 심어 주게 됩니다. 콤플렉스에 쌓여 장점에 대한 잠재력을 키울 기회조차 사라져 버리지요. 보편적인 기준에 아이를 끼워 맞추려다 아이의 자책은 늘고 비관적인 사고가 자리 잡게 됩니다.

아이의 장점을 발견하세요. 문제집, 평가 시험지를 들춰보는 것도 중요하지만요, 아이가 무엇에 빠져 웃고 있는지 관찰하세요. 숫자를 좋아하는지, 춤추는 걸 즐겨 하는지, 악기를 잘 다루는지 등 자유 시간에 하는 활동을 유심히 보세요. "또 쓸데없이 종이만 접고 있네!"

라며 나무라지 말고 자긍심을 갖도록 지지해 주세요. 미래의 '네모 아저씨'가 될지 모릅니다. 중·고등학생이 되면 여유 부리며 아이의 관심사를 찾을 시간도 없어요. 초등 시기에 아이의 관심 사항을 지속적으로 관찰하고 지원해 주세요.

단점도 장점으로 보는 부모의 긍정적인 눈이 필요해요. 매사 느린 아이는 신중한 아이입니다. 하나를 하더라도 꼼꼼하게 일 처리를 하는 장점이 있지요. 공부는 뒷전이고 친구만 찾는 아이는 사교적인 아이입니다. 어딜 가나 분위기 메이커를 자처하며 인기가 많아요. 넉살도 좋고 말솜씨도 훌륭하지요.

자신의 장점을 잘 알고, 있는 그대로 인정받는 아이는 긍정적인 사고를 갖게 됩니다. 장애물 앞에서 주춤할 때 심호흡을 크게 하며 마음을 다스릴 줄 알게 되지요. 사소한 것에서도 재미를 찾으며 자기 마음을 위로하는 법을 하나둘 익혀갈 거예요. 자신의 감정, 본능, 직관을 믿고 행동합니다. 자신을 진심으로 이해하고 낙관적인 삶을 살게 됩니다.